Владимир УГРЮМОВ

РОЖДЕННЫЕ ПЕРЕСТРОЙКОЙ

СУДЬБА
БРИГАДИРА

Роман-боевик

Санкт-Петербург
«Издательский Цех „Балтика"»
2000

ББК 84. (2Рос-Рус) 6
У 27

Угрюмов В.

У27   Судьба бригадира. Роман-боевик.— СПб.: «Издательский Цех „Балтика"», 2000.— 381 с. (Сериал «Рожденные перестройкой»).

ISBN 5-7654-0529-0
ISBN 5-224-00817-4

    Молодой парень, Антоныч, выходит из тюрьмы, отсидев свой
первый срок. Остановившись в первом же крупном городе, он грабит
таксиста и, приобретя таким образом первоначальный капитал, начинает заниматься частным бизнесом. Позднее сколачивает банду
и «подминает» под себя весь город.
    В «Судьбе бригадира» читатель познакомится с похождениями
главного героя, Антоныча, в Санкт-Петербурге и Москве.

ББК 84. (2 Рос-Рус) 6

ISBN 5-7654-0529-0
ISBN 5-224-00817-4

Глава первая

У меня в кармане скомканной кучкой завалялось рублей тридцать. На такси в пригород не хватит.

Скорый поезд, громыхая колесными парами на стыках, наконец-то привозит меня в Питер. Ленинград — это мой родной город. Северный, прошитый ветрами и сыростью, он манит к себе любого, кто имел неосторожность здесь родиться. Построенный на болотах и человеческих костях, этот город изначально пропитан мрачной мистикой.

К чему это я? Ах да! Денег у меня практически не осталось. Крым давно позади, и хочу, чтобы он стал для меня прочитанной книгой, перевернутой страницей. Красноярск уже кажется в прошлой жизни, но там остались друзья, и они всегда готовы мне помочь. А зачем? Я никогда никого не прошу ни о чем, потому что мне нравится одному все начинать с белого листа. Наверное, это разновидность кайфа. Он заключается для меня в том, чтобы всего добиться самому и бросить, а после все начать с начала. Люблю риск. Риск подобен сексу — так же хочется, так же интересно и просто балдеешь, когда у тебя все получается.

— Подъезжаем! Ленинград! — орет проводник в вагоне.

Я уже давно стою в тамбуре со своими нехитрыми пожитками, которые легко уместились в небольшой спортивной сумке. За окнами глубокий вечер. Зима. Уже проплыли огни Сортировочной, и мы катим по предместьям. Я слышал, что Ленинград скоро переименуют, и будет как встарь — Санкт-Петербург. Это хорошо. Так и должно быть. Почему-то питерцы всегда говорят о своем городе с нотками нежности и грусти. Но уж точно не потому, что коммунисты считали этот город колыбелью революции. Хрен им в грызло, ублюдкам недоношенным! Закопать столько своего народа даже у Гитлера не получилось...

Сейчас на дворе эпоха перемен. Азиаты проклинают подобные исторические коллизии, они этого боятся. Ну, а русским к такому не привыкать. Нас метелят — мы крепчаем. Это наш принцип. Чем хуже мы живем, тем щедрее русская душа. Так оно было раньше, так оно будет и впредь. Как объяснить необъяснимое?

Перрон Московского вокзала. Сколько долгих лет я мечтал выйти на него из поезда и полной грудью вдохнуть сырой невский воздух. Выхожу в слякоть зимне-весеннего перрона. Снега нет, но есть родная грязь и родные лужи. Шлепаю по лужам. Изменилось ли что-нибудь здесь? Почти ни черта не изменилось. Появились лишь самопальные ларьки кооператоров, торгующих разной подделкой — от жевачки до сивушной водки, разлитой где-то в питерских подвалах из грязного спирта. Стало больше бичей и мрачных, подозрительных типов, а вот ментов вроде стало меньше. Кому охота теперь за смешные деньги получить нож или пулю вместо зарплаты? Менты подались в кооператоры. По-нашему, по-русски, это звучит только как ругательство: кооператор! Мать твою! Потому что многим не нравится. Если раньше получали зарплату за то, что просто ходили на работу и делали вид, что работают, то теперь надо суметь прожить, нужно реально зарабатывать себе на хлеб. Вот и получается: одни люди учатся зарабатывать и выживать в новых условиях, а другие сидят в дерьме и все хают.

На такси, чтобы доехать до Финляндского, мне денег хватит, но тратить жаль. Да и забыл я, что такое метрополитен. Мне сейчас в Питере интересно все. Сейчас всего десять вечера, хотелось бы помотаться по городу, но пока не до него, я должен устроиться на ночь, придется ехать в пригород с другого вокзала и пытаться найти своего старого знакомого, если он никуда не переехал. Правда, должен все-таки быть на месте. Адрес его я узнавал не так и давно.

На Финбане покупаю билет на электричку, как совершенно порядочный человек. Одиннадцатый час вечера, и, разумеется, никаких контролеров на линии не будет, но я хочу купить себе первый билет в Питере. В метро билетов не бывает.

Сажусь в рощинскую электричку. Ехать мне поближе, только до Зеленогорска. Вагоны в эти часы почти пустые. Сижу и смотрю в темноту за окном. Пока там виден город, потом будет Ланская, Удельная, Шувалово-Озерки, дальше уже пойдут поля совхозов, а затем от Песочной — сплошной лес. Карельский перешеек.

Смотрю на темный лес. Снег уже чернеет, сходит на нет. Опять март месяц, но это уже другой. Помню, тоже в марте, я приехал в Красноярск и за очень короткое время создал свою полукриминальную империю. Кажется, это было совсем давно, а прошел всего год.

Когда был в зоне, время тянулось скучно и однообразно, и год казался большим этапом коммунячьей пятилетки. На воле год пролетел так, что я этого просто не заметил, занятый массой всяческих вредных дел, именуемых по уголовному законодательству бандитизмом. Я — бандит, ушкуйник, головорез! Впрочем, какая мне сейчас разница, как меня назовут или называли? Я такой же человек, как и все остальные, но я никогда не был и не стану рабом существующего строя. Я вольный человек, а значит, жесткий и жестокий — иным воля не дается. Я люблю быть нежным с женщиной, которая мне нравится, но не всякая из них может сказать, что была в восторге от моего с ней обращения, потому что мне нельзя расслабляться даже на минуту. Как только расслабишься, тебя тут же сожрут. В нашем мире нельзя без когтей и клыков. Когда видят, что это все у тебя в наличии и готово к действию в любое мгновение, тебя уважают и боятся. Бараны не способны выжить сами, им требуется пастырь, который находит им пастбища, стрижет и в конце концов забивает на мясо. Я — пастух, я — русский ковбой, который хочет жить так, как он хочет. Это моя задача, поставленная самому себе.

И все-таки я долго, что ни говори, добирался в Питер. Расставшись с Ингой, заехал в Волгоград к своему корешку по зоне и проторчал там почти до весны. Приятелю нужно было помочь, чем я с интересом и занимался... Теперь кореш — серьезный авторитет на Волге, и с его командой вряд ли кто-то сможет поспорить в ближайшие полгода...

От Белоострова до Ушкова тянется курортная зона побережья Финского залива. Здесь еще не совсем залив, а, как окрестил ее русский царь по имени Петр, Маркизова Лужа. Я читал о Петре, и мне кажется, мы с ним во многом похожи. Правда, кровей он неоднозначных, но важно не это, важно уметь строить свою империю. Построить и удержать завоеванное.

Платформа Комарово. Следующая станция моя. В Комарово — сплошь дачи. Здесь натыканы дома отдыха для творческих личностей — архитекторов, писателей... Здесь дачи многих известных в стране людей. Эти люди так же увлечены, как и я, но увлечения у них безобидные. Дай им Бог здоровья.

Выхожу в Зеленогорске через пятьдесят минут езды. Ближе к желтому старинному зданию железнодорожного вокзала, в самом начале длинного ряда автобусных остановок, приткнулись два кооперативных ларька. Ларьки работают круглосуточно. Тут же, напротив них, стоят машины местных извозчиков.

— Куда едем, парень? — весело интересуется один из частников.

— Уже приехал... — хмуро роняю я.

Водила хочет содрать с меня денег. И если бы я намылился куда-нибудь подальше Зеленогорска, наверняка бы содрал, так как автобуса в это время не дождешься. Бензиновый, мать его, кризис! Таксист понял, что ему ничего со мной не светит, и убрался обратно в свою тачку, трепаться с другим таким же водилой. Эти ребята — хищники, но ничего, скоро я ими займусь.

Подхожу и убеждаюсь, что ларьки действительно работают. Это уже признак нового времени. Люди куют себе не серп, а деньги.

Покупаю бутылку водки. Будем надеяться, что она не паленая и организм ее вынесет. Иду по лужам в город. Под мостом — море разливанное. Приходится подняться на насыпь, перейти железнодорожные пути и спуститься вновь на тротуар. Сколько себя помню, под этим мостом весной и осенью всегда была огромная лужа.

На улицах ни машин, ни народа. На перекрестке одиноко мигает желтым глазом светофор. Тишина и удивительно чистый воздух. Сказывается близость залива. Приморский городишко. Если дальше идти по проспекту Ленина, будет Приморское шоссе и большой парк, пляж и море.

Захожу в новый микрорайон. Его построили недавно. Раньше здесь было много частных домов. Тогда зимы были снежные, и улочки в обрамлении высоченных сугробов смотрелись сказочной декорацией. Детьми мы катались тут на лыжах, финских санях и русских санках. Строили снежные крепости и играли в хоккей на дороге. Это было в детстве. Теперь же здесь кирпичные дома, построенные по новым проектам. Может, они и вписываются в пейзаж курортного городка, но выглядят, по-моему, очень дерьмово. Пусть они удобные и прочее, но для меня любой многоэтажный дом — это барак из всеобщего социалистического лагеря. Одним словом — хренотень.

Нахожу нужный мне дом. Поднимаюсь на третий этаж. Звоню в обшитую коричневым дерматином дверь. Долго никто не подходит. Затем слышны шаркающие шаги за дверью и меня пытаются рассмотреть в глазок. На этой площадке вверху горит совсем тусклая лампочка, а на других площадках вообще нет света. Кто-то скоммуниздил лампочки для своих бытовых целей. Сейчас в дефиците все, и лампочки тоже.

— Кто? — раздался хриплый голос моего приятеля.

— Антоныч. Это ты там хрипишь, Серега?! — смеюсь я. — Проснись, говнюк!

— Антоныч?!

Лязгают замки, и дверь распахивается. Меня втаскивают в коридор, и мощный Серега, бывший боксер-тяжеловес со значком мастера спорта, обнимает меня и хлопает по хребту своими медвежьими лапищами.

— Ну ты даешь!! — рокочет он. — Сколько лет молчал! Хоть бы написал, подлец, две строчки! Урод долбаный!!

Мне остается лишь усмехнуться. Я рад нашей встрече. Очень рад.

Из спальни появляется заспанное личико какой-то девушки.

— Оксана! Это наш Антоныч приехал! — басит на всю квартиру Серега. — Ты видишь это чучело?!!

Серега, наверное, единственный человек из всех ругателей в стране, который совершенно безнаказанно может говорить обо мне и при мне все, что захочет. Он мой друг с самых малых лет. Таких друзей не бывает. Но Серега есть, и я доволен.

— Мне хоть можно раздеться? — спрашиваю я.

— Да, черт! Конечно! Сейчас... Вот, Антоныч, тапочки. Ну ты даешь!

Скидываю пальто, бросаю шапку на вешалку и влезаю в домашние туфли.

У Сереги трехкомнатная квартира. Это у него от родителей.

Проходим в гостиную. Обстановка как у людей. Все те же «стенки», тумбочки под телевизор и прочее — стандарт российского жития-бытия.

— Я ведь женился! Да ты сейчас вспомнишь! Оксана ведь! — Он подмигивает мне и выглядывает в коридор. — Оксан!!

— Да иду я, иду! — доносится из спальни. — Мне ведь одеться надо!

Счастливый приятель возвращается ко мне. Падает рядом на диван, обнимает меня за плечи.

— Вот как ты теперь будешь выкручиваться, сволочь такая? Почему раньше не написал?! — расплывается он в улыбке.

— Не думал, что вернусь. Не верил.

— Да ты че?! Как это не думал?! Жить потому что негде?! Да ты охренел, братишка! У меня комната вон свободная стоит! Детей пока не предвидится. На этот шаг в наше время решиться нужно. Живи! Никуда теперь, братан, не денешься! — хохочет он, тряся меня как грушу.

Приятно, черт возьми, когда вот так могут встретить через кучу долгих лет.

Заходит Серегина жена. Она умылась, надела халатик, причесалась, но я не могу ее вспомнить.

— Не узнаешь? — веселится друган. — Твоя же соседка была! Ниже этажом они жили!

После этой подсказки наконец вспоминаю. Тогда Оксана была совсем соплюхой, и сейчас ее, конечно, не узнать.

— А я вас хорошо помню, — улыбается девушка. — Вы с Сережей тогда со всеми парнями дрались.

Это точно. С Серегой и еще парой парней мы в нашем городке не давали спуску никому, особенно когда подросли.

— А как ты меня нашел? — наконец удивляется приятель. — Оксан, посмотри там на кухне! — тут же просит он жену. Девушка, кивнув, убегает.

— Я попросил одного человека, а тот связался со своим знакомым в Питере. Твои данные я ведь помню отлично. Через адресное бюро и пробили, где ты теперь живешь. Вот так и нашел.

— Молоток! — хлопает Сергей по моему плечу.

— Ты сам-то как в этой жизни устроился? — интересуюсь я.

Серега небрежно машет рукой:

— А-а! Дерьмо все! Пока работаю в строительном кооперативе. Дачи евреям строим, которые отсюда пока не драпают. Пацаны наши

почти все разъехались. Кто где. Тут многие по-
перли в рэкет, на легкие деньги. Трясут кооператоров. Мне предлагали, да разве я с ними
крутиться буду? Уроды одни! Вот с тобой бы
пошел! — ржет он.

— И пойдем.

— Ты серьезно, что ли? — снимает с лица
улыбку приятель.

— Вполне. Я уже знаю, как это делается.

Друган чешет небритую щеку.

— Ну-у... — тянет он задумчиво. — Вот
блин... Ну, так это... Давай тогда... Пошли, что
ли! — Серега вновь оживает. — А что там де-
лать-то надо? Морды бить?

— Бывает и это, — усмехаюсь я его наивности. — Но больше стрелять придется.

— Да ты че?! Так вот и стрелять?!

Кивком подтверждаю свои слова.

— Во блин! Это как в Афгане, выходит?

Серега служил в десантно-штурмовой бригаде и полтора года носился по афганским
горам. Уж кого-кого, а его кровью не уди-
вишь.

— Скоро в стране будет еще хуже, — успокаиваю его.

Серега смотрит в сторону кухни, где Оксана
звенит посудой. Я его сомнения понимаю: он
женат.

— Знаешь, Антоныч... — поворачивается он ко мне и говорит тихо, как заговорщик: — Мне и самому так жить надоело. Мы детей вот уж второй год не заводим. Чем их кормить? Денег платят — хрен, да и только! Нужно выжить! Ну а если не выживем, то и ладно! Держаться нам не за что. Давай, Антоныч, банкуй!

Пожимаем друг другу руки. С этого момента я уже не один, а в тандеме с Серым мы сила не малая. Кто этого не знает, поймет чуть позже.

Выпиваем на маленькой кухоньке. С нашими габаритами тут только вдвоем и разместиться. Оксана посидела с нами немного, выпила рюмочку и ушла спать. До самого утра строим планы, прикидываем, с чего лучше начать.

Глава вторая

Нам бы не помешали свои колеса, но денег на это сейчас нет. С сожалением вспоминаю оставленный в Ялте свой бронированный «пятисотый» «мерседес». Но пусть пока он там и остается. Сейчас все начинаю с нуля. Я так хочу.

По совету Сереги разговариваю с двумя его приятелями. Пацаны вроде неплохие. Так же как и Серый, они прошли Афган. Парни согласны работать с нами. Уверен, скоро у нас будет достаточно людей, но пока хватит и четверых. Оружия, естественно, ни у кого нет, и взять его пока негде.

Мы ездили пару раз в город, присматриваясь к патрулям мусоров. Похоже, что и у тех не всегда с собой есть пушки. Смутное время, даже мусора бздят, что их ограбят. А ведь верно делают...

Наконец-то нам повезло. Сегодня мы шерстили по Калининскому району, и Костик первым увидел вооруженный патруль. Костя и его приятель Женька по прозвищу Джонни обогнали нас метров на пятьдесят. Костик оборачивается и быстро делает знак головой. Мы с Серегой тоже уже успели заметить, что менты углубились во дворы пятиэтажных домов, и рвем за ними.

Все произошло быстро, как и привыкли делать ребята на войне. Ментов мгновенно срубили в грязь и тут же отобрали пушки. «Макары» остаются у тех, кто их добыл.

Вечером нам подвернулся еще один патруль, мы и их разоружили. Вот это порядок. Теперь у нас на четверых — четыре ствола. Начало положено.

На квартире Сереги в моей теперь комнате и чистим трофейное оружие.

— Бабки кончаются... — говорит Серега, надраивая тряпочкой нарезы ствола ПМ. — Что делаем, Антоныч?

За эти дни, пока искали ментов со стволами, мы объездили почти все станции городского метрополитена.

— Видел, сколько на «Ладожской» ларьков поставили?

— Ну, — кивает Сергей.

— Вот завтра их брать и будем, — сообщаю ему.

— Там, я заметил, человек шесть в «адида-сах» болтаются, — говорит приятель, надевая ствольную коробку и вставляя ее в пазы. Сбрасывает, нажав на выступ затворной задержки, щелкает несколько раз вхолостую курком. Вставляет обойму и, переведя флажок предохранителя, кладет пистолет на стол. Я внимательно смотрю, как он все делает.

— А теперь разбери его, — киваю ему на пистолет, — и протри ствол, затем всю внутреннюю поверхность коробки, где ты держался пальчиками. Собирай после аккуратно и желательно в перчатках. То же с обоймой. Патроны вщелкивай, упираясь только в ободок. Сам понимаешь, здесь тебе не духов безнаказанно гонять придется...

Серега оценил мой совет и, хлопнув ладонью себя по лбу, вновь берется за оружие.

— Я видел тех парней, — отвечаю приятелю. — Но это так, сявки. Если дойдет до волын, ты их там уже не увидишь.

— А как оттуда сваливать? — смотрит он на меня, оторвавшись от своего занятия. — Не в метро же потом ехать?

Я предлагаю ему свой план, и он соглашается.

Утром тянемся в город. Настрой у всех бодрый и пацаны жаждут действия, но электричка ползет как черепаха. Зато у нас есть время обсудить все детали будущей акции. Покидаем электричку на станции Удельная. Далее делаем все быстро и четко. Подходим к бензозаправочной станции и видим длинную очередь автомобилей. Не спеша, как в магазине, выбираем себе машину. В конце хвоста стоит красная «девятка». В машине один мужик. Заходим с двух сторон. Перчатки у нас на руках присутствуют. Я встаю возле дверцы водителя и вижу, как мужик внутри испуганно вертит головой, не понимая, что происходит. Костик и Джонни забираются на заднее сиденье и, продемонстрировав водиле стволы, перетаскивают его назад, к себе. Сажусь за руль. Рядом со мной устраивается Серега. Завожу двигатель. Бензина маловато, но пока нам хватит.

Выезжаю из очереди и рулю в Коломяги. Водителя упаковываем так, чтобы он долго не смог развязаться. Бросаем его в леске. Ничего с родимым не случится — волки здесь не водятся. Едем к Ладожской. По дороге покупаем у таксиста десять литров бензина и катим дальше.

На «Ладожской» два ряда ларьков, установленных друг напротив друга. Покупателей тут хватает. Рассредоточиваемся. Работаем мы с Серым, а Костик и Джонни прикрывают. Подходим к первому ларьку. Оттеснив от окошка какого-то

мужика, заглядываю внутрь. Там девчонка-про-
давец и парень в «адидасе» и кожаной куртке. Не
поймешь, кто он, то ли охранник, то ли сам хозяин ларька.

— Слышь, прыщавый! — обращаюсь к нему. — А ну-ка отвори моему корешу, пока мы
вас не спалили!

Тот, мне кажется, отказывается верить в оче-
видное. Но мой взгляд, не обещающий ему ничего хорошего, заставляет парня быстренько открыть. Девчонка испуганно забилась в угол.
Серега входит и быстро собирает кассу. Затем
грубо обыскивает парня. Я в это время закрываю спиной окошко. Меня страхуют наши пацаны. Серега сбрасывает все в сумку и выходит
из ларька.

— А теперь закройтесь, сволочи, и сидите
тут тихо, пока мы не обойдем весь ваш кара-
ван-сарай... — приказываю ларечникам.

Те следуют моим указаниям в точности. Теперь мы с Серегой стоим возле ограбленного
ларька, а Джонни и Костик выносят ларь напротив нас. Дело идет споро. Мы уже прошли
середину обоих рядов, как вдруг замечаю группу парней в спортивных костюмах, кроссовках
и кожаных куртках, которые быстро приближаются к нам. Их семь человек. Встаем с Серегой на пути быков.

— Куда-то спешите? — усмехается мой приятель, засунув правую руку за отворот расстегнутой заранее куртки, а левую держит в кармане брюк. Спортивные мгновенно тормозят и, злобно сверкая глазами, молча смотрят на нас. Так и стоим.

— Кто дернется, схавает «маслину»! — говорю я, чтобы потом в случае чего не вякали, что мы их не предупредили.

Джонни и Костик в темпе чистят оставшиеся ларьки. Покупатели, почуяв неладное, сваливают от нас подальше.

— Вы откуда, парни? — достаточно миролюбиво интересуется один из спортивных.

— Заткнись! — требую я.

Стоим дальше. Проходит некоторое время. Ментов пока не видно.

— Уходим! — слышу я за спиной своих пацанов.

Развернувшись и оглядываясь на бычков, валим к машине. Через две минуты мы уже далеко и пилим в сторону Гражданки.

— Ну мы их и уделали! — ржут пацаны. — Антоныч! У нас «бабки» в сумку не помещаются!

Бросаем машину и пересаживаемся в трамвай. Еще пара пересадок, и идем на платформу Озерки. Всем не терпится сосчитать, сколько же мы сегодня реквизировали. Вижу настоящий азарт в глазах парней. Адреналин в крови бурлит, и хочется еще действия. Хочется ограбить всю электричку. Но простой народ мы не трясем. У людей в пригородных поездах денег нет. Ну, разве что мы — некое исключение из правила.

Набрали мы, если в пересчете на доллары, почти шесть тысяч баков. Неплохо для одного дня. Но сегодня нам, можно сказать, повезло. Я считаю, что подобные акции нужно готовить более тщательно. Все получили по пятьсот долларов на руки. Остальные деньги мы оставили на покупку машины.

На следующий день снова едем в город. Паршиво тратить два часа на электричку. Сегодня мы хотим «сделать» ларьки у станции метро «Проспект Просвещения».

Смешиваемся с толпой и оцениваем обстановку. Охраны здесь немного, человек пять, и их видно сразу. Но и ларьков тут поменьше. Больше всего торгуют с лотков. Уезжаем от метро и находим себе колеса. Вытряхнув водителя из его «семерки», возвращаемся к рынку. Бомбим ларьки за считанные минуты. Здесь охрана даже ухом не повела. Отваливаем на машине и после недолгой езды бросаем ее. Денег взяли не так и много, где-то около тысячи долларов. На такси, поодиночке, добираемся до метро «Петроградская». И здесь быстренько снимаем деньги с лоточников. Возвращаемся домой. Урожай у нас сегодня по сравнению со вчерашним днем хиленький. Собираемся на квартире у Джонника. Он пока живет один, так как его родители укатили куда-то погостить к друзьям.

— Получается тысяча шестьсот тридцать баксов, — объявляет Женька, подсчитав нашу сегодняшнюю выручку.

Действительно, после вчерашнего куша кажется, что маловато. Но серьезные рыночные площади нам пока не одолеть.

— Мы так не сможем много набрать, — скептически говорит Сергей. — Нужно что-то другое...

Я уже думал над этим. Но самое главное, о чем я думал и не говорил парням, так это о том, что мы отлично сработались с самого начала. Мне понравилось, как действуют пацаны — без лишней спешки и суеты, реально оценивая обстановку.

— Сейчас будет и другое, — весело подмигиваю ребятам. Народ смотрит мне в рот. Они уже врубились, что у нас все может получиться. — Денег нам теперь хватит на свои колеса. Завтра едем покупать машину.

— Слышь, Антоныч... — берет слово Костик. — На фиг ехать? У меня сосед хочет свою «девятку» продать. Ей всего год. Он попал на бабки, ему срочно надо отдавать, он нам тачку по дешевке отдаст. Сэкономим!

— Иди, говори с соседом, — соглашаюсь я с его идеей.

Мы условились, что когда возьмем тачку, то в последующем, с любой добытой нами суммы, откладываем в общак двадцать процентов. Костик быстро убегает договариваться. В нашей компании права есть у всех. Через часок приятель докладывает, что машину сторговал и экономим мы на этом не слабо. Оно и лучше. Завтра с утра пораньше оформим ее по доверенности, и можно теперь не думать об электричках. На своих колесах вернее.

Девятку успели оформить к двенадцати дня. Едем в город. Парни все довольны. Только недавно они жили на мизерную зарплату и пахали на дядю, а теперь сами себе хозяева.

Сегодня наша цель — менялы. Их по городу навалом. Шаг за шагом обследуем районы города и выясняем, что у менял везде схема работы одна: человека четыре стоят на каком-нибудь месте недалеко от метро или крупного универмага и, вывесив таблички на груди, меняют «деревянные» на баксы и обратно. У самих менял денег на руках только-только. Не больше ста долларов. Остальная сумма копится у их сообщников, которые сидят обычно поблизости в машине. Естественно, пацаны в машине готовы к нападению. Но мы сделаем так, как от нас не ждут. Рассказываю парням свой план, и они хохочут до упада. Так и делаем.

Едем к Петропавловской крепости, где собираются «матрешечники», то есть продавцы, ориентированные на продажу всяческих сувениров иностранным туристам. Здесь можно купить все, и мы покупаем четыре ментовских мундира. Покупает их Костик. Вид у него совершенно не запоминающийся. Вот сейчас посмотрел, увидел, а отвернулся — и уже не сможешь сказать, с кем ты только что разговаривал. Вот так он выглядит. У ограбленных нами ментов мы забрали не только оружие, но и их «ксивы». Теперь они нам пригодятся.

Начался дождливый апрель. Сильные ветры с ливнями могут нам даже помочь в нашей работе. Видимость ухудшается, да и народ не особенно глазеет по сторонам.

Накануне в городе я снял себе трехкомнатную квартиру. Всегда кто-то из пацанов сможет остаться, что бы не пилить в такую даль до Зеленогорска. Да и мне уже неудобно перед Серегой и Оксаной. У них и так мало времени побыть вдвоем, да еще я постоянно отвлекаю парня.

Квартира на Московском проспекте. Очень удобная, просторная, с хорошей мебелью и после ремонта. Мы заезжаем ко мне, и ребята переодеваются в ментовскую форму. Выходим в город. В машине хохочем, глядя друг на друга — ну и рожи! — и присматриваем то, что нам надо. Видим, на обочине одиноко стоит небольшой автобус советского производства. С угоном такого рода транспорта проблем нет вообще. Открыв дверцу «пазика», забираюсь на водительское сиденье и завожу двигатель обычной отверткой. За следующим углом меня ждут наши пацаны, но уже без машины. Подбираю их, и едем к первой намеченной точке. Спектакль будет отменный…

Подрезаю наискосок автобусом стоящую около тротуара бежевую «семерку». Мои приятели окружают машину менял. Никакого, естественно, сопротивления нам не оказывают, так как оружия у них, кроме газовиков, нет.

Менял заводят в автобус, где я, как главный, или старший, хрен там разберешь, как у ментов это называется, встречаю испуганных парней. Серега подходит ко мне и выкладывает на сиденье три газовых пистолета, кучу денег, документы и прочее.

— Ну, вот и попались, — строго говорю я. — Оружие носите. Где соответствующее разрешение?

— Да какое это оружие, командир? — восклицает парень из троицы задержанных. — Это же ерунда! Нет ведь статьи за газовое!

— Нет закона носить его! — рычу я. — И тем более вот это! — киваю на две пухлые пачки долларов. В одной из них только стошки, в другой мелкие купюры.

— Дак теперь же можно! — не сдается крепыш. — Теперь за валюту не сажают!

— За валюту — конечно! — гну я свое. — Но сажают за незаконные валютные операции!

Парни тускнеют.

— У вас нет свидетелей... — бурчит бычок, видимо уяснив, что придется с деньгами расстаться.

— У меня много свидетелей, урод! — рявкаю я. — Веришь мне, или привести?

Пацаны молчат, опустив головы, затем по очереди кивают.

— Так это... — начинает парень, — это не наше... Это вы где-то без нас нашли, наши только документы, — сдается он окончательно.

Возвращаем им паспорта и рулим дальше. Дело у нас пошло весело. За один только день успеваем обработать еще восемь точек. И вот тут мы уже сняли приличный куш.

Вечером, у меня дома, Костик подсчитывает «бабки».

— Тридцать одна штука! — орет он, подпрыгивая с кучей денег в руке. — Тридцать одна штука баксов, Антоныч!!!

Ребята довольны. Шесть двести откладываем в общую кассу. Раз Костика выбрали кассиром, он и отвезет деньги пока себе домой. Остальное делим на всех.

— Ну, Антоныч! — хохочет Серега. — Не зря я всегда в тебя верил! — Он радуется как ребенок.

Глава третья

Еще три дня мы опускали менял. Сорвали с них немало. Пацаны хотели продолжать так и дальше, но я все отменил.

— Антоныч! — негодует Джонни. — Да ведь мы можем так работать хрен знает сколько!

— Вот именно, — соглашаюсь с ним. — Ты и сам не знаешь, когда это закончится. Нас наверняка уже вычисляют, и странно, что мы продержались четыре дня. Вычислить нас не сложно. Почерк везде одинаков. Просчитать ходы — раз плюнуть! Я не хочу, чтобы в каждого из вас в ближайшее время всадили по пуле только из-за нашей же глупости! Все, пацаны! Никаких базаров! С менялами мы заканчиваем!

Ребята понимают, что я прав, и больше возражений не поступает. Но все поскучнели, и им кажется, что теперь у нас других таких богатых вариантов не будет. Шутка ли, мы за четыре дня заработали на каждого почти по сорок тысяч долларов и приумножили общак. Деньги просто посыпались в руки!

— Ну, что сопли распустили?! — смеюсь я, глядя на хмурые морды пацанов. — Имеем новое дело!

Ребята с надеждой уставились на меня. Серега заранее улыбается. Делаю театральную паузу. Станиславский меня бы оценил...

— Ну же, Антоныч! — не выдерживает Джонник.

— Скупщики золота, — роняю я, и пацаны аж подпрыгивают.

— Точно! — басит Серега. — Мы их так же, под мусоров, и сработаем!

— Вот это — нет! — торможу его. — Не так же. Здесь будем делать без маскарада. Повторяться нельзя...

Принцип работы у скупщиков рыжья почти такой же, как и у менял: кто-то скупает, а кто-то сидит в машине. Возле каждого ювелирного есть такие мальчики. Но здесь у нас навар должен быть солиднее. Здесь мы отбираем и золото, и деньги, предназначенные на его скупку.

За один день, работая на предельной скорости, мы успеваем отбомбить точки почти во всех районах. На этот раз скупщикам не везет. Чтобы они подольше не поплакались своим хозяевам в жилетку, мы их жестоко вырубаем.

Ребятам придется после встречи с нами еще долго лечиться.

Но эта работа только на один день. Так я сказал своим. Повтора не будет вообще! Парни согласились. Денег и драгоценностей мы набрали целую сумку. Также нами было добыто шесть боевых стволов: два «макара» и четыре ТТ. Наши клиенты воспользоваться ими не успели. Моя команда ходит победителями. Парни почувствовали свою значимость в этом мире. Они сильнее, и они побеждают.

Покупаем себе машины. Тачки сейчас почти в дефиците. Но мы все-таки берем реэкспортные «девятки». У пацанов почему-то одинаковый вкус. Наша первая, которая остается у Костика, белая. Серега и Джонни тоже покупают себе белые. Я, наоборот, беру черную, навороченную спойлерами тачку. Стекла у меня были уже затонированы, и фары — по две круглых в паре. Смотрится моя «девятка» круче, чем хотелось бы. Пацаны мне даже позавидовали. Мысленно я усмехаюсь. Знали бы они, какая машина стоит у меня в Ялте...

Встречаемся на моей квартире.

— Требуется искать выход на вояк, — говорю я пацанам, — и начинайте подбирать парней...

— А что там с вояками? — не понимает Джонни.

— Нужно выходить на современные стволы, — поясняю ему. — Нужны автоматы.

— Так это, наверное, сможем... — задумывается Женька. — У моего знакомого его дядька — какая-то шишка в одной из частей... Я попробую пробить это дело.

— Вот и давай... — соглашаюсь с ним.

— Есть еще какие-то мысли, Антоныч? — интересуется Серега.

— Все будет, — уверяю его. — А пока три дня отдыхайте. Отдых мы заслужили...

Ребята уезжают. Заваливаюсь на кровать и включаю видик.

Сегодня пятница, и еще утро. Делать мне нечего. Впрочем... Собираюсь в город. Если повезет, найду сегодня нормальную телку. На улице ливень и шквальный ветер. Похоже, что ничего, кроме насморка, тут не найдешь...

Выезжаю в центр и паркуюсь на Невском проспекте. Я сто лет уже не читал нормальных книг, и теперь вот захотелось. Раз уж не найти в такую погоду подругу, почитаем книги. Захожу в «Дом книги». Брожу по отделам, рассматривая прилавки и стенды. Потом можно будет смотаться куда-нибудь поесть. Купив пару понравившихся книг, добегаю до машины под проливным дождем. Еду дальше, к ДЛТ. Почему бы сегодня не побродить по магазинам. Не вижу причин не делать этого. И я брожу.

В ДЛТ завожу знакомства аж с тремя молоденькими продавщицами. Но девочки, набивая себе цену, сообщают, что именно сегодня у них вечер занят. Хрен с ними, пусть повыделываются. Беру их телефоны.

Направляюсь домой, купив себе еды в магазине. Нет никакого желания переться в ресторан и жевать там в одиночестве. Можно было бы пойти в кабак ради того, чтобы снять на ночь шлюху. В любой путевой гостинице этих девочек хватает. Но на проституток меня пока не тянет.

На Московском проспекте возле метро «Технологический институт» под колеса моей машины кидается чей-то силуэт с зонтиком. Естественно, это девушка. Только телки могут переходить дорогу, не глядя по сторонам, и, как курицы, в последний момент выпархивать из-под колес автомобилей.

Ехал я спокойно, поэтому ничего лишнего себе на капот не принял. Девушка выронила зонтик, и тот, мгновенно подхваченный ветром, понесся по проезжей части со скоростью шедшего параллельно с ним ржавого «Запорожца». Догнать его девчонка не сможет.

— Ты куда вообще смотришь?! — кричу я девушке, высунувшись из приоткрытого окна.

Та мокнет под дождем перед моей машиной и боится уйти. Чувствует себя виноватой.

Мимо проносятся другие тачки, обдавая девушку водяной пылью и брызгами в дополнение к дождю. С нее течет в три ручья.

Она держит руки на груди, и ее серый плащик, теперь уже весь мокрый, кажется мне другого цвета. Волосы у девчонки собраны в тугой пучок на затылке, и все ее лицо мокро от дождя. Она смотрит мне в лобовое стекло. Вот дура! Шла бы себе дальше и не обращала внимания. Или она боится, что я ее догоню и буду ее бить?

Выхожу из машины и спрашиваю у девушки:

— Тебе что, плохо?

Девчонка словно в шоке. Она смотрит на меня и вроде нет. Беру ее за руку и веду к машине. Никакого сопротивления. Усаживаю мокрую курицу на переднее сиденье и быстро возвращаюсь за руль. Я сам успел вымокнуть практически насквозь. Ну вот, а я думал, что никого не найду! Пожалуйста — сидит в моей машине телка, молоденькая и вроде симпатичная. И что мне теперь делать с этой дурой? Тащить ее к себе?

— Эй! — поворачиваюсь к девушке. — Ты в порядке?!

Девчонка всхлипывает, или мне это послышалось? Еду вперед и паркуюсь к поребрику.

Девчонка хлюпает носом. Это можно принять и за плач, и за насморк. Тем более у нее мокрое лицо и ничего не понятно. Отвечать она мне, видимо, не хочет.

— Ладно, — говорю я примирительно. — Ты где живешь?

Девчонка молчит и на меня не смотрит. Замерла, как партизанка, и только тихо хлюпает носом. Наверное, все-таки насморк.

В окно вижу, что ее зонтик залетел на тротуар и теперь застрял в кустах. Выбираюсь из машины и иду за зонтом. Что у меня все не как у людей?! Ищешь нормальную козу, а попадается шмыгающая носом дура, которая лезет под колеса, как Анна Каренина под паровоз. Что-то я еще, оказывается, помню из школьной программы. Подбираю зонтик и возвращаюсь к машине. Меня самого можно уже выжимать. Забираюсь на сиденье, складываю зонт на улице и захлопываю дверцу. Девушка так и сидит, как сидела. Может, она немая или глухая?

— Послушай, — обращаюсь к ней. — Я ведь с тобой говорю совершенно нормально. На кой черт ты лезешь под колеса? Тебе делать нечего? Или машин в упор не видишь?

— Вы меня отпустите? — вдруг тихо спрашивает она.

— Я тебе что, мент, что ли?! Кто ж тебя задерживал?!

— Вы ведь рэкетир... — так же тихо, шмыгая носом, говорит девушка, не глядя в мою сторону.

Интересное кино! Что, это у меня на лбу написано?

— С чего ты взяла? — улыбаюсь я. — Почему рэкетир, а не кооператор?

— Вы так выглядите...

Вот тебе и раз! На мне был нормальный костюм. Стригусь я не коротко, в меру, и делаю себе прическу. Никаких «адидасов», кроссовок и кожаных курток. Ну, разве что массивные перстни с бриллиантами на обеих руках да золотая цепь на шее под расстегнутым воротником — бандитский понт я держу. Черная машина с хищной наружностью... Вообще-то все-таки похож.

— Ну ладно. Даже если и рэкетир, то это еще не значит, что я обязательно тебя обижу. Меня интересует, почему ты лезешь, как безумная, под колеса?

— Я вас не видела... — сознается девушка.

— Ну конечно, машина — это такая булавка, которую на дороге и не заметишь, если не постараешься... — хмыкаю я. — Ты со своей головой дружишь?

Девчонка молчит. Только сейчас замечаю, как она бедно одета. Видавший виды плащ, который, наверное, носила ее мать. Рукава плаща слегка коротки. Темные грубоватые чулки, на которых тонкими нитками зашиты «стрелки». Стоптанные и сбитые в носках полусапожки. Но сама девушка хороша. Чистое личико, тонкие, круто изогнутые брови, мягкие черты лица и большой рот. Носик у нее чуть вздернут. Верхняя губа приоткрывает передние зубки. Девочка красива, это точно. Ей лет восемнадцать.

— Вы ведь не разбили машину, и вам не нужно за меня отвечать... — продолжает она о своем.

Я включил печку, так как заметил, что она никак не может согреться.

— Да это мне все понятно, — говорю ей. — Ты мне все-таки скажи, что у тебя случилось? А то выйдешь отсюда и тут же сунешься под другую машину...

Она не спешит отвечать, ее слегка трясет. Может, от нервов, а может, и оттого, что заболела.

— Я, — начинает она, но спотыкается, затем все-таки продолжает. — Я со своим парнем поссорилась... Все было хорошо, а сегодня у меня занятия закончились раньше, чем обычно, и я зашла к нему домой. А он... он там с другой, —

она хлюпает носом. — И он мне такого наговорил... Подлец! Я же еще и виновата... Я ему и стирала, и готовила. Я его любила! Кажется... А он сказал, что это я с ним из-за ленинградской прописки... Негодяй!! Да очень мне нужно все это! Я училась и буду учиться дальше, и стану учителем, как и моя мама...

Вот теперь все встало на свои места. Девчонка учится в педагогическом и живет в общежитии. Она совсем худенькая, но это не от конституции. Просто она студентка и недоедает. Жратва дорогая, сейчас туго тем, у кого нет нормальных денег, а эта девочка их никогда и не имела. Я вижу, что на ее зонтике есть даже маленькая заплатка. Она держится за учебу из последних сил. Раз ее мать учительница, она обречена жить на нищенскую стипендию.

— У тебя есть отец?

Она мотает головой.

— Он умер от пьянки... Мы под Псковом живем. В деревне...

Русская красавица! Очень, бля, романтично... Завожу двигатель и отъезжаю от тротуара.

— Вы куда? — заволновалась девушка и смотрит на меня. Глаза у нее голубые.

— Тебе нужно поесть, — серьезно говорю ей. — Иначе тебе аут.

Она молчит. Значит, я угадал. Еду в «Асторию». Передо мной, улыбаясь подхалимски, распахивают двери, а на мою спутницу косятся подозрительно. Девушка, когда увидела, куда мы приехали, ни за что не хотела выходить из машины. Но я сказал, что пристрелю ее на месте и выброшу на помойку диким бомжам, если она сейчас же не пойдет со мной. Она, дурочка, похоже, поверила. У нее были такие глаза после моих слов!

— Можно я не буду снимать плащ? — просит она возле гардероба.

— В плаще здесь не обслужат, — говорю я. Мне понятны ее трудности, но не везти же ее в сосисочную. Ей обязательно нужен суп и другое горячее, но отменного качества. Такое готовят только в «Астории». — Плюнь на все и раздевайся, мы же не на день рожденья приехали!

Гардеробщик презрительно разглядывает нас. Меня бесит его надменная рожа.

— Ты че, падла, так смотришь! — взрываюсь я. — Тебе, сука, кто разрешил так смотреть на мою сестру, которая приехала из деревни?!!

— Да я так... — мямлит мужик, пугаясь. — Я ничего... Вы извините, у меня с утра зуб болит... У вас очень красивая сестра!

Помогаю девушке снять плащ. Она сама смотрит на меня со страхом. Под плащом у нее оказался тонкий, застиранный до невозможности, но чистый серый свитерок. Видно, что девушка старается следить за собой, но возможности у нее небольшие. Сейчас новые вещи покупать трудно.

Беру ее за руку и веду в зал. Чувствую, как подрагивает девчонка. Ее знобит.

— Зачем вы... — говорит она с придыханием. — Зачем вы так грубо разговариваете с людьми?

— Только с теми, кто этого заслуживает.

Девушка промолчала. Метрдотель провожает нас за свободный столик. Он косится на мою спутницу, меряя ее однозначным взглядом. Тут же появляется официант. Девушка не может выбрать, и я сам делаю заказ. Для нее обязательно суп из осетрины и многое еще. Она сидит скованно за столом и даже не смотрит в зал. Взгляд ее уперся в скатерть. Она сейчас похожа на нахохлившегося воробышка в февральский мороз. Лицо у нее раскраснелось, и глаза слезятся. Я видел, какие мокрые следы оставляют ее полусапожки. Обувь у девушки промокла насквозь. Мы так и молчим. В зале играет приятная музыка. Народу прибавляется. Наконец нам подают.

Когда официант уходит, девушка робко смотрит на меня. Киваю ей, улыбаясь. Она начинает есть суп, отщипывая маленькие кусочки хлеба. Мне приятно на нее смотреть, но в то же время чертовски жаль. Девушка съела уже полтарелки супа и как-то странно поднимает голову.

— Мне плохо... — произносит она тихо и вдруг начинает заваливаться набок, прикрыв глаза.

Срываюсь с места и успеваю ее подхватить на лету. На пол падает тарелка с остатками супа. К нам спешат метрдотель и пара крепких официантов.

— Что случилось? — волнуется метр, подбегая.

— Все нормально... — отвечаю хмуро, поддерживая девушку. — Моей сестре стало плохо...

— Вызвать скорую? — суетится метр.

— Нет, обойдемся, — говорю я и бросаю на стол двести баксов. Мне некогда доставать и отсчитывать рубли.

Кажется, девушка потеряла сознание. Подхватываю ее на руки. Она оказывается легкой как пух. При ее росте это удивительно. Спешу на выход.

— Плащ леди в машину, быстро! — рявкаю в гардеробе и выхожу на улицу со своей грустной ношей.

Устраиваю девушку на переднем сиденье и откидываю спинку, чтобы она полулежала. Так ей будет легче. Везу ее к себе домой, заношу в квартиру и укладываю на постель. Снимаю с нее сапожки, нахожу свои шерстяные носки и надеваю ей на ноги. Укрываю пледом. После звоню в больницу. Объясняю, что произошло. Мне говорят, чтобы я вызвал своего врача по месту жительства, а они на такие вызовы не ездят. Начинаю потихоньку звереть. Пробую лоб девушки. Он весь в огне. Она дышит тяжело и кашляет. И то, как она это делает, мне совсем не нравится. Лечу вниз и, запрыгнув в машину, ищу поликлинику. Нахожу. Некоторые врачи еще работают, но терапевтов уже нет. Матеря все на свете, газую в ближайшую больницу. Нахожу нужного мне врача, вернее, врачиху лет за сорок. Объясняю ей ситуацию. Она меня успокаивает и говорит, чтобы я ехал в аптеку и купил жаропонижающее, а завтра вызывал врача.

— Вы поедете со мной! — объявляю я, давая понять, что у нее нет уже выбора. — Сейчас! Это очень важно.

— Я не могу! — возмущается врачиха. — Я даже не знаю, кто вы!

— Да какая разница, кто я?! Вы должны помочь! В конце концов, где ваша долбаная клятва?!

— Но я... — начинает она снова.

Вытаскиваю пачку баксов.

— Вот вам триста долларов! Берите все необходимое и быстрее в машину! Я удвою ваш
гонорар, черт меня возьми, но вы должны что-
то сделать! А если у нее воспаление легких?

Врачиха деньги взяла и кивнула.

— Подождите минутку.

Через пять минут мы прилетаем ко мне домой. Девушка в горячке разметалась по постели, и я вижу, что ее вырвало.

— Вы скорей смотрите ее, — говорю я.
И иду в ванну за ведром и тряпкой.

— Кто она вам? — спрашивает врачиха, раз-
ложив свой чемоданчик — собирается, видимо,
делать девушке уколы.

— Никто. Нашел на улице... — ворчу я, под-
тирая на полу.

— Как это нашел?

— Как котят находят?

После уборки меня попросили подождать в
гостиной. Курю, смотрю на дверь в спальню.
Наконец женщина выходит ко мне со своим
чемоданчиком.

— Все будет хорошо, — говорит она. — Завтра утром я зайду снова. Вот мои телефоны, —
она подает мне листок. — Там и рабочий и
домашний. Воспаления нет, но ваш котенок, —

женщина добродушно улыбается, — на грани истощения. У нее очень ослаблен организм, плюс тяжелая простуда. Я пока сделала все необходимое. Вот тут у меня для вас все написано. Но если что-то будет беспокоить, сразу звоните мне.

— С этого дня вы будете моим личным врачом, — объявляю ей. Женщина мне понравилась, она, должно быть, хороший специалист. — Каждый ваш визит — двадцать пять долларов. Заходите почаще... — улыбаюсь ей.

Врачиха удивлена и довольна. Собирается уходить.

— Не спешите, — останавливаю ее, — я сейчас вызову вам такси, а пока попейте чаю.

Она хотела было отказаться, но в моем доме такое не принимается. Провожу ее на кухню и вызываю машину. Пою врачиху чаем с конфетами. Она меня подробно информирует, как и что мне нужно делать с больной. Я все отлично запомнил. Напоследок я дал ей еще триста зеленых — как и обещал, удваиваю гонорар.

— Это очень много! — протестует врачиха. — Это уже слишком! Вам некуда девать деньги?!

— Берите. Я еще отниму... — серьезно отвечаю я.

Женщина как-то странно смотрит на меня, качает головой, и я подаю ей плащ. Провожаю до такси, плачу водиле не скупясь, так как ехать ему далеко.

Возвращаюсь в квартиру. Я даже не знаю, как зовут мою находку. Жар у нее спал, и девушка спит теперь спокойно. Снимаю с нее колготки и свитер. Фигурка у нее отменная. Особенно потрясающая грудь. Но белье у девушки такое же ветхое, как и вся остальная одежда. И она действительно выглядит истощенной. Ребра выпирают из-под кожи, и животик глубоко запал. Сейчас я отмечаю, как заострились ее скулы. Накрываю одеялом. Она что-то бормочет во сне, но мне не разобрать. Да и не надо. Включаю ей ночник, чтобы, проснувшись, она смогла разобраться, что здесь к чему, и ухожу в другую комнату. Теперь можно отдохнуть. Завтра нужно будет много чего прикупить для моей больной.

Глава четвертая

Просыпаюсь от шороха. Выскакиваю в коридор. В дверях спальни стоит девушка, кутаясь в плед. Ее качает по сторонам, поэтому она держится за дверной косяк, боясь идти. Поддерживаю ее за талию и, ни о чем не спрашивая, провожаю к туалету. После встречаю и на руках несу в постель. Девочка немного оклемалась и теперь явно стесняется меня. Даю ей возможность самой перебраться под одеяло.

— Вы меня сами раздевали? — спрашивает она.

— Нет, врач. Тебя осматривала женщина. Она завтра придет с утра и будет тебя дальше лечить.

Девушка с облегчением вздыхает. Похоже, ее волнует не столько болезнь, сколько то, кто же ее раздевал.

— Я потеряла сознание?

— И довольно надолго... Но тебе сделали укол. Как ты теперь себя чувствуешь?

— Когда встаю, у меня все плывет в глазах, темнеет, и хочется тут же лечь.

— Как тебя зовут? — улыбаюсь я.

— Наташа...

— Меня — Антоныч.

Девушка слабо улыбается в ответ:

— А почему Антоныч?

— Потому, что это именно так и есть, — развожу я руками. — Ты что-нибудь хочешь?

— Если можно, то попить...

— Две секунды! — обещаю ей. — Тебе, может, пока видик включить?

Глаза у Наташи загораются:

— А у вас есть? Я фильмы только в видеосалоне смотрела с девчонками. И... со своим парнем...

— Ты ведь, наверное, боевики не любишь? — интересуюсь я.

Наташа улыбается. Мне понятно, что она думает обо мне.

— Я мультики люблю. Американские...

— У меня есть «Том и Джери» и «Белоснежка и семь гномов».

— Здорово! — восхищается она.

Ставлю кассету, показываю Наташе, как обращаться с пультом. Ухожу на кухню готовить ей чай. У меня имеется клюква и брусника. Я всегда покупаю эти ягоды на случай болезни.

Делаю Наташе два графинчика морса из разных ягод и приношу чай. Девушка смотрит мультик про кота и мышь и слабо хохочет. Затем с удовольствием пробует все, что я для нее приготовил. Приношу девушке чистые, в упаковке, носовые платки.

— Может, хочешь поесть?

Она отрицательно мотает головой.

— Сейчас — только пить.

— Ну и пей, — улыбаюсь я, — когда болеешь, нужно пить как можно больше. Только по коридору пока одна не ходи. А то упадешь и что-нибудь себе сломаешь или разобьешь. Не стесняйся и зови меня. Ясно?

Девушка с улыбкой кивает. Она уже научилась обращаться с дистанционкой и поставила пока видик на паузу.

— Почему ты ничего не ешь в институте? Вас там разве не кормят? — задаю наболевший вопрос.

— У нас есть столовая, но я часть своей стипендии всегда отдавала своему парню. Он любит немного выпить...

— А он живет один?

— Нет. С родителями. У него папа какой-то начальник в порту или на судне, не помню точно...

— Капитан?

— Да вроде... А может, и нет.

— Ладно. Не важно это сейчас. Давай, смотри мультики, развлекайся.

Выхожу из спальни и в своей комнате заваливаюсь на диван. Беру книжку. Совсем забыл поглядеть на часы. Ну ни фига себе! Половина шестого утра! Однако у меня сегодня и ночка...

Будит меня телефонный звонок. Хватаю трубку и, щурясь со сна, смотрю на часы. Похоже, день уже начинается.

— Антоныч?! — слышу я голос Сереги. — Спишь, что ли?! — ржет приятель. — Наверное, уже нашел себе кого-то?!

— Почти...

— Ну и отлично! Тут вот какое дело, — начинает он уже серьезно. — У меня есть один знакомый, который дает наводку...

— Стоп! — прерываю его. — Ты че по телефону несешь?!!

— А-а! Точно! — спохватывается Серый. — Тогда я к тебе скоро подъеду!

— Слушай, братан, давай отложим все на послезавтра. Не хочу я сейчас заниматься делами. Мысли будут не о том.

— Ладно, отложим, — соглашается Серега. — Похоже, тебе там есть чем заняться! — ржет он.

— Похоже, — соглашаюсь я. — Давай до понедельника.

Кладу трубку и иду в комнату к девушке. Она еще спит. Мерцает экран телевизора. За окнами что-то серое и хмурое. Это весенний день в Ленинграде. Наташа спит спокойно, и лицо у нее розовое, нормальное в общем лицо, если не считать припухшего носика. Простуда, ничего тут не сделаешь. Только я собираюсь заваривать чай, как приходит врачиха. Наташу приходится будить. Пока они там разговаривают, делаю завтрак. Затем врач говорит со мной. Она довольна, как идет процесс выздоровления, все в порядке. Пою ее чаем с бутербродами и иду провожать. Наташе я сказал, что отлучусь в аптеку. У нее есть чем заняться, она может смотреть фильмы. Отвожу врачиху домой и возвращаюсь в центр. В аптеке покупаю все необходимое. Теперь в наших аптеках дефицита на лекарства, особенно импортные, нет.

Наташа встречает меня улыбкой. Хороша девчонка! Надо же, что я нашел вчера на улице, даже не верится. Девушка распустила волосы, и они накрыли собой сразу две подушки. Волосы у нее богатые. Мне нравятся именно такие. Самое главное, что девушка их не красит, как теперь принято. Даже косметику

Наташа почти не употребляет. Да ей и так хорошо.

— Можно мне позвонить в общежитие? — спрашивает она.

— Без проблем. Звони куда хочешь.

Девушка отзванивается и кому-то там объясняет, что она заболела и до общежития добраться не может. Будет пока у знакомых. Я набрал всяческих продуктов и, когда Наташа закончила разговор, поинтересовался, что она хочет съесть. Девушка уже все хочет. Мою ей фрукты. Фрукты сейчас стоят в фирменном магазине кучу денег, но девчонке нужны живые витамины, и я приволок ей даже небольшую корзинку голландской земляники. Наташа счастлива. Я долго ее расспрашивал окольными путями, иначе бы она не сказала, но все-таки узнал фамилию и имя ее парня. Когда девушка уснула, я нашел в плаще ее записную книжку с адресом и телефоном ее пацана.

Еду по адресу. Звоню. Мне открывают. Дом здесь старого фонда после капремонта. Все довольно солидно. Видно, что живут тут богатые люди. Открывает щенок. Не могу сказать, что он не может нравиться девчонкам. Морда у него смазливая, но меня это не колышет.

— Вы ко мне? — удивляется парнишка, когда я спрашиваю, где живет такой-то.

— Кто там, Саша?! — кричат из глубины квартиры.

— Это ко мне, мама! — отвечает сынок.

То, что я успеваю заметить в прихожей, говорит о состоятельности этой семьи, а он ведь брал, сука, у девчонки последние деньги на выпивку.

— Значит, к тебе, — киваю ему, улыбаясь. — Меня Миша попросил тебе деньги занести.

— Мне? — искренне удивляется он.

— Тебе, — киваю я. — Ты ведь с ним учился в Политехе?

— Это Юзин, что ли, которого отчислили?

— Он, — продолжаю улыбаться. — Передал тебе сто баксов...

— Да вы проходите! — оживляется мальчик, увидев у меня в руке иностранную сотку.

Захожу. Чуть ниже по лестнице стояли какие-то люди, и мне не хотелось начинать разборку в прихожей. Квартира тут огромная. В два раза больше моей. Щенок приглашает меня в свою комнату. В коридор так никто и не вышел. Слышен звук работающего где-то в квартире телевизора. Родители парня смотрят у себя какой-то фильм. Заходим к нему в комнату, и тут я ударом поддых приземляю мальчика на колени. Орать он уже не сможет. Затем методично обрабатываю его ногами.

— Это тебе, педрила, за Наташу... — объявляю ему на ухо после завершения экзекуции.

Парень теперь весь в крови и валяется на импортном белом паласе. В его комнате довольно уютно и много всяческой импортной электроники. Опустить бы его на всю эту дребедень, да у меня нет времени.

— Если еще хоть раз подойдешь близко к этой девушке, убью!

Мне нельзя не верить. Потому что я сделаю это легко и просто. Жизнь этого сосунка меня нисколько не волнует. Добавляю ему по ребрам ногой и спокойно ухожу из квартиры, так никого и не увидев из остальных жильцов.

В воскресенье, так как все хорошие магазины были закрыты, я купил некоторые вещи Наташе на рынке. Не Бог весть что, но она и от этого пришла в восторг. Теперь она доверяет мне полностью и нисколько меня не боится. Только еще стесняется.

В понедельник ко мне заваливают пацаны. Наташа в красивом халатике, и мои кореша удивляются, видя, какое у меня дома завелось чудо. Волосы падают ей на спину, красиво обрамляя ее милое лицо. Это нечто! Она уже спокойно ходит по квартире, но недолго. Ей пока еще тяжело. Я же пичкаю ее всем, что прописал врач. По моему мнению, девушка должна поправиться быстро. Аппетит у нее проснулся, и я готовлю сам салаты и прочее. Наташа поздоровалась с моими друзьями, застывшими при ее появлении, и гордо удалилась в спальню.

— Вот это да! — шепотом восхищается Джонни.

Пацаны проводили девушку восхищенными взглядами. Серега хлопает меня по плечу и показывает большой палец правой руки. Мне приятно, как приятели реагируют. Говорим о деле. Оказывается, Сереге дали наводку на коллекционера. И нам будет реально провернуть это дело. Антиквариат, насколько я в курсе, всегда был и будет в цене. Парни понимают, что я должен сначала устроить свои дела, поэтому мы договариваемся встретиться через два дня.

Наташа действительно поправляется быстро. Врач бывает каждый день, и я убедился, что специалист она отменный. Оказывается, врачиха уже кандидат наук. Неслабо! Зовут ее Людмила Михайловна.

— Людмила Михайловна, — спрашиваю я ее в очередное посещение, — а почему бы вам не открыть свою клинику? Пусть там будет все, вплоть до зубных врачей...

Женщина смотрит на меня с явным интересом.

— Я всегда мечтала о таком, — сознается она. — И как мне рассматривать ваши слова? Как некое деловое предложение?

Быстро она все схватывает.

— Именно так, — смеюсь я. — Подумайте над этим, и если решитесь, я постараюсь вам помочь во всем.

Она обещает подумать.

Глава пятая

Коллекционера мы сделали легко. Караулили у подъезда, и человек, знавший этого типа в лицо, показал нам его. Парень, давший наводку, попросил за это двадцать процентов. Не так уж и много. В следующий наш приезд, уже без наводчика, мы сами зашли в подъезд за этим антиквариатом. Мужик, не рыпаясь, пустил нас в свою квартиру. Грузовик мы угнали заранее, из Тихвина, и грузим все вещи на машину почти полтора часа. Еще больше времени уходит, чтобы разгрузить все у меня дома.

Наталья сегодня первый день на занятиях, и я, зная ее расписание, пообещал заехать за девушкой в институт. Она ждет меня не одна, а с кучей своих подружек. Ох уж эти девчонки, наверняка они остались посмотреть, что за парень появился у их подруги. Это я вижу по быстрым девичьим переглядываниям. Лучше бы помогли своей подружке, когда та ходила голодная...

Помогаю Наташе устроиться в машине. На ней уже, естественно, не ее старая одежонка, но все-таки и не та, какая должна быть. Вот за этим мы как раз сейчас и поедем. Отвожу Наталью в элитный магазин. Увидев ценники на нижнем белье, она тут же хочет удрать, но я ее удерживаю. Покупаем ей все от и до, и даже с запасом. Затем заезжаем в фирменный магазин с парфюмерией и берем девушке духи и всевозможную косметику. Девчонка в бешеном восторге. Я хочу сделать ее своей королевой и имею право на подобные прихоти. Эти права я беру себе сам, и плевать мне на все остальное. Жаль вот только, что у нас еще так мало достойных мест, где можно было бы без сожаления потратить собственные деньги.

Наташе я сказал, что никуда ее не отпущу и она останется у меня. Я знаю, что если ее саму спрашивать об этом, то девушка никогда не согласится. Она из тех, на кого мужчина должен влиять во всем.

Наташа примеряет наряды потому, что мы собираемся вечером в ресторан. Завтра у нас будет другая программа — мы пойдем в театр. Наташа хочет сходить в Мариинку. Раз хочет, значит, сходим. Мне такое мероприятие не интересно, и я знаю, что буду там дремать, но я обещал, и никуда тут не денешься. Я сказал Наташе, что у меня будет парочка дней, когда я смогу нормально отдохнуть. Девушка пыталась повыспрашивать меня, чем я занимаюсь, но, уяснив бесполезность подобных поползновений, отступила.

В обеих комнатах полно теперь старинных вещей и картин известных художников. Наташа просто остолбенела, когда увидела подлинники полотен Васнецова, Брюллова, Левитана, полотна фламандских художников, статуэтки Фаберже.

— Вы все это украли? — она не может поверить своим глазам.

— Это не из государственного музея, а из частной коллекции, — уверяю ее.

— Но ведь вы же это не купили! — возмущается девушка.

— Еще чего, — ворчу я, стараясь уйти от темы и увести Наташу в ее комнату.

— Антоныч! — достает она меня. — Но ведь так нельзя! В конце концов это не кончится добром! Тебя ведь могут посадить, даже убить...

— Многие уже пытались это сделать, царство им небесное, — усмехаюсь я.

Девушка смотрит на меня, качая головой.

— Ты ненормальный, — фыркает она. — У меня никогда не было таких знакомых.

— Теперь есть, — улыбаюсь я. — А твои знакомые, как ты сама сказала однажды, подлецы и негодяи...

Наташа смеется, затем опять подозрительно смотрит на меня.

— Кстати, Антоныч, мне тут сказали, что мой бывший знакомый был избит кем-то очень зверски прямо в своей квартире, когда там были и его родители. Он до сих пор лежит в больнице.

— Какая жалость, — произношу без выражения. — Наверное, он действительно был большим негодяем. Теперь у парня будет время о многом подумать на больничной койке...

Девушка вздыхает.

— Ну, Антоныч, — умоляет она. — Ты ведь умный, смелый, почему бы тебе не заняться нормальным бизнесом?

Любят они учить. А впрочем, что с нее взять, с будущего педагога?

— Я почти собираюсь...

Девушка подходит ко мне и кладет руки мне на грудь.

— Если с тобой что-то случится, — тихо говорит она, опустив глаза, — я... Мне ведь, Антоныч... — она так и не договаривает.

Беру ее за плечи и привлекаю к себе. Она уже воспользовалась новыми духами, и аромат, исходящий от ее тела, пьянит меня. Я целую Наташу, и она мне отвечает.

Ресторан отменяется к чертям собачьим. Наташа оказалась просто великолепна. О чем другом можно было думать, когда мы уснули только в восьмом часу утра? С небольшими перерывами на любовь у нас ушло почти двенадцать часов...

На следующий день только мы с Серегой едем на встречу с наводчиком. Стрелку ему забили на Крестовском острове.

— Вы уже все сделали, что ли? — удивляется парень, когда мы отходим к воде.

— Нет. Но мы прикинули твою долю и решили, что можем отдать ее сразу.

Наводчик просиял. Людей нигде не видно. Такое уж тут тихое место, даже днем. Подаю ему пакет с «куклой». Парень хватает тяжелый сверток и начинает его судорожно разворачивать. Достаю ПМ и без лишних слов стреляю ему в голову. Серега страхует меня чуть позади.

Набиваю карманы трупа камнями и сбрасываю его в воду. Идет дождь, но уже тепло. Скоро будет лето, и у нас много серьезных дел впереди.

Наташа где-то раздобыла «Вечерний Ленинград», в котором есть заметка из криминальной хроники о том, что в городе обнесли известного антиквара.

— Вот, — тыкает она пальцем в заметку.

Беру у нее газету и читаю, как будто вижу это в первый раз.

— Жаль мужика... — говорю я, возвращая ей газету. — Но у многих сейчас подобные проблемы...

— Да, но ведь это вы! — возмущается девушка моей невозмутимости.

Не знаю, что может быть более правильным, но я говорю ей так, как думаю:

— Никто не знает, что более верно устроено в этом мире. Я не признаю чужие законы, и ничего с собой поделать не могу. Мне важно то, что есть сейчас. А сейчас у меня есть ты и возможность сделать тебя королевой. Как ты думаешь, все эти ценные вещи, которые были у того человека, откуда они?

Девушка неуверенно пожимает плечами:

— Ну-у... Наверное, это наследство.

Я смеюсь:

— Какое, к дьяволу, наследство! Какое, к чертям, наследство после революции в семнадцатом году?! Я тебе точно скажу, откуда у него все эти вещи. Он сам, конечно, вряд ли мог награбить, потому как молод. Но его отец наверняка имел солидный вес во время блокады города и покупал это у умирающих от голода ленинградцев за жалкие крохи хлеба с наркомовских столов... Эти вещи не принадлежат тому ублюдку, а я забрал их на правах сильного. Наверное, это и был акт возмездия за жадность, и я стал инструментом Всевышнего.

Но Наташа серьезна. Она о чем-то там думает, затем говорит:

— Возможно, ты и прав. Наверное, мне не стоит судить о поступках людей так, как это было принято раньше. Хорошо, Антоныч, я больше не буду интересоваться твоей работой.

Вот за это ей спасибо. Девушка умеет думать и принимать верные решения.

Наташа учится целыми днями, мы с ней теперь видимся только вечером. Поздним вечером. У меня и моих друзей тоже стало больше работы. Мы долго искали выход на военных и все-таки нашли человека, который нам нужен. Теперь у нас уже куплены семь «калашниковых», гранаты и прочее, что требуется для городской войны. Подходящих дел для наших парней пока не подобрали. Но все успеется. Бригада у нас слегка разрослась, и мы готовимся очень серьезно. Тренируемся в глухих лесах Карелии, стреляем, отрабатываем в заброшенных деревнях тактику уличного боя. Я почему-то уверен, что не пройдет и двух лет, как все это нам понадобится в реальной обстановке. Слишком много появилось в крупных городах хищников, которые, как и мы, готовы конкурировать со всеми на свете, лишь бы урвать кусок пожирнее. То, что сложилось к данному времени в бизнесе, требует передела. Уходит короткая эпоха разборок на кулаках, повальных каратистов и прочих отставных спортсменов. Все теперь будет гораздо проще, жестче и соответственно кровавей. И никуда от этого не денешься. Так будет. Начало я уже положил в Красноярске и ничего для себя менять не хочу. В наш век жесткой конкуренции в криминальной среде мне понятно только одно: нет человека — нет врага, и значит, все, что было его, становится нашим, без проблем...

Эту «Волгу» мы угнали. В стране бензиновый кризис, а значит, на данном этапе к нам могут прийти просто сумасшедшие деньги. На трассах торгуют бензином прямо с бензовозов. Мы подготовили это дело, и теперь остается воплотить его в жизнь.

— Главное, чтобы тот барыга нас не подвел, — говорит Сергей, имея в виду скупщика еще не добытого бензина.

— Бензин не рыба, если что, не протухнет, — поясняю ему.

В машине мы сейчас втроем. Джонни едет за нами на бензовозе. Этот бензовоз наш, и вполне официально. В бочке у него пусто, но скоро мы ее заполним.

— Джонни, вали в сторону! — командую по рации приятелю, так как вижу впереди нужную нам лесную дорогу.

Мы уходим дальше, а Женька уводит бензовоз вправо. Со всех сторон трассы тянутся леса. Сегодня и в ближайшую неделю мы работаем на Выборгском направлении.

— Вот они! — Серега увидел чужой бензовоз, стоящий на обочине, как только мы миновали очередной поворот.

Возле бензовоза торчат несколько легковых машин, водители которых заправляют канистры. Сейчас всего девять утра, поэтому бочка должна быть полной. Ночью они продавать не рискуют и выезжают на трассу, когда рассветает. Сейчас на трассе машин в обоих направлениях хватает. Машину прикрытия у бензовоза мы видели. Проезжаем мимо и разворачиваемся в другую сторону. Еще раз проезжаем в другом ряду, разглядываем объект. Возле бензовоза два мужика — торгуют. В машине сопровождения трое парней заняты своим разговором. Погодка с утра солнечная, и видимость отменная. Нам, конечно же, это не на руку, но делать нечего. Мы работаем при любой погоде.

Подскакиваем к машине сопровождения. Резко торможу. Мы в масках выпрыгиваем из «Волги», быстро выдергиваем охранников из «девятки» и кладем их на землю. С автоматом наперевес подбегаю к бензовозу. Народ, видя меня, замер. Частники, заправлявшие свои машины, пятятся назад. До них мне нет никакого дела.

— Шланг в отстойник! — рявкаю я на продавцов.

Те, ни слова не говоря, делают так, как я приказал. Убеждаюсь, что уровень бензина в бочке соответствует полной заправке. Запрыгиваю в кабину бензовоза и разворачиваю машину.

Серега с Костиком пробили финками скаты «Жигулей» и на «Волге» следуют за мной. Нас никто не преследует. Через некоторое время сворачиваю на лесную дорогу и вскоре нахожу наш бензовоз, возле которого мается в ожидании Джонни.

Перекачиваем бензин и по той же лесной дороге катим вперед, на другое шоссе. Весь лес Карельского перешейка просто изъеден лесными дорогами и дорожками. Уйти можно от любой погони, если хорошо ориентируешься в этих местах. Для нас в этом никаких проблем нет. Сначала добираемся до оставленной в лесу одной из наших машин и бросаем «Волгу». Затем в надежном месте встречаемся с покупателем и перекачиваем бензин в его бочку.

— Когда следующая партия? — улыбаясь, интересуется у меня покупатель.

— Пусть твои бочки постоянно дежурят здесь, — говорю ему. — Мы можем подъехать снова в любое время дня и ночи...

— Хорошо. У меня четыре машины, и две из них будут здесь дежурить постоянно, — уверяет мужик. — Деньги будут у водителей.

Наш покупатель — владелец шести бензоколонок в городе. Я вообще-то хочу не просто продавать ему краденый бензин, а войти с ним в долю. Но мужик уверяет, что не может так просто этого сделать, потому что его «доят» собственные «крышаки». Этого бизнесмена взяла под свою опеку небольшая, но очень наглая питерская команда, лидер которой — некий Фомин. Я его еще ни разу не видел, но мне почему-то кажется, что скоро мы с ним обязательно встретимся, даже если он этого и не захочет.

— Ну так как, ты подумал? — интересуюсь я все о том же.

— Я ведь тебе уже все объяснил, Антоныч, — вздыхает коммерсант. — Ну не могу я через себя перепрыгнуть! Завалят меня к такой-то маме!

— Ты, главное, решись, мы уже сами разгребем твои проблемы. Понимаешь? Тебе с кем работать удобней? Моя команда будет поставлять бензин, а твой Фомин тебе ни хрена, извини меня, не дает, а только тянет!

— Но у него людей больше вашего раз в десять! — аргументирует делец.

— Ерунда, — отмахиваюсь я. — Бойцов я найду без проблем. Не в этом дело. Мне нужно, чтобы ты сам сказал — «да». Тогда я тут же улажу наши с тобой общие дела.

Коммерсант задумался, покачал головой.

— Ты все-таки дай мне подумать, Антоныч, — просит он. — Я знаю, что ты и твои ребята — люди действия. Таких, как вы, надо поискать, но у меня, понимаешь, дом, семья. Я на виду и не могу рисковать... Если честно, то я боюсь...

— Я тебя не тороплю, но и долго не думай. Ты сам понимаешь, что те деньги, которые пойдут за каждую такую бочку, мне особо не интересны. Мне интересно быть в доле. Ты пойми меня верно, или я через неделю найду другого покупателя...

— Антоныч! — восклицает мужик. — Ты ведь меня за горло берешь!

— Это бизнес, Марк. Это только бизнес...

Глава шестая

Через три дня на выборгском направлении перестали выставлять бензовозы на трассу. Это следствие нашего неустанного труда. Поэтому теперь мы меняем зону охвата. Перебираемся на московское направление. Здесь наверняка дело пойдет посложнее. Во-первых, коммерсанты усилили охрану своих бочек. Сейчас бензовозы пасут человек по десять, на двух машинах. Ситуация слегка усложнилась, но не является безнадежной.

Первым делом решаем выловить тех, кто тут, кроме нас, бомбит продавцов бензина. Для этого дела выставляем свою бочку на трассу ближе к вечеру и устраиваем возле нее засаду. На такого живца должны клюнуть мгновенно. Так и происходит. Бочка стояла в одиночестве всего двадцать минут. К ней подлетают две «девятки» без номеров и такие грязные, что совершенно невозможно различить, какого они цвета. Сразу понятно, что машины испачканы специально, потому что уже неделю стоит совершенно сухая погода.

Мы с Серегой лежим на обочине в кустах, а Джонни, чуть правее нас, контролирует поворот трассы. Место мы выбрали очень удачное. Из «девяток» весь народ не вылезает, а выбираются лишь двое крепких парней. Оружия у них в руках нет, но видно, что из машин торчат автоматные стволы.

Двое прибывших беседуют с Костиком. Тот сейчас должен им объяснить, что деньги у него уже забрали, а в бензовозе что-то сломалось.

Видим, как Костика обыскивают, затем ищут в его машине. Налетчикам не верится, что у парня нет денег. Все-таки им приходится убедиться, что их не обманули, но обманулись их надежды.

Костя получает по морде и пару раз ногами по ребрам. Затем братки забираются в свои машины и разворачиваются, чтобы отвалить по своим делам. Но это уже у них не получается. В три ствола мы дырявим очередями «девятки» чужаков. По трассе с московской стороны приближаются фары каких-то машин. Костик уже запрыгнул в бензовоз и жмет по газам, а мы продолжаем начатое дело. Израсходовав по рожку, уходим в лес. С одной конкурирующей группировкой покончено.

На следующий день забираем один бензовоз. Его охрану мы разогнали выстрелами в воздух.

Не знаю, кто там были эти пацаны и было ли у них оружие, но брызнули они врассыпную, словно зайцы.

— Я тут подумал, — говорит мне Марк, владелец заправочных станций, — и согласен, Антоныч, чтобы мы были в доле. Я собираюсь налаживать поставки горючки напрямую с комбинатов и расширять сеть. Мне нужна солидная и весомая поддержка. Я уже в курсе, что вы запугали мелких дельцов на трассах, и это мне на пользу. На трассе бензин продавали дешевле, и это отбивало у меня клиентов. Народ из-за вашей пальбы не решается выезжать за пределы города, чтобы затариться дешевым бензином. Если мы будем компаньонами, то ты мне сможешь помочь. Вам больше не нужно угонять бензовозы, их просто необходимо убрать с трассы вообще.

Мне понятен замысел Марка. Так действительно будет лучше для нас обоих. А убрать бензинщиков с дорог — нет ничего проще. Сожжем пару-тройку бочек, и всех делов.

— Значит, по рукам? — спрашиваю я.

— По рукам! — улыбается Марк, протягивая ладонь.

Пожимаем друг другу руки. Вот теперь, я уверен, дело пойдет гораздо прибыльней, чего мы и добивались.

— Завтра нам нужно с тобой встретиться с утра, и я расскажу, как и что мы должны сделать, чтобы мне легче было разобраться с твоей бывшей «крышей».

Марк значительно кивает. Уж он-то понимает, что из этого последует, какая будет разборка и куда потом «уйдут» его бывшие «дояры». После рассказываю парням, о чем я договорился с Марком. Они тут же прикидывают, насколько серьезно мы поднимемся за счет АЗС. Но дело это все-таки не простое, и чтобы его удержать, как и все свои позиции в подобном бизнесе, придется частенько браться за стволы. Так что стрелять в ближайшие пять лет мы не разучимся...

Я обсудил с Марком, как нам легче всего будет достать Фомина. Затем сам бизнесмен переговорил с этим типом и выложил ему нашу версию происходящего. Все сработало. Марк подробно разъяснил Фомину, каков будет дальнейший процесс роста его бизнеса, и сказал, что у него назначена встреча с поставщиками за городом, в кафешке на трассе. Он объяснил Фомину, что те не хотят светиться, но важно, чтобы Марк показал свою крышу во всей мощи. Они будут работать только с сильным по всем позициям партнером.

Фомин на эту удочку клюнул. Встреча назначена на сегодня. Я объяснил Марку, как он должен себя вести в кафе, которое я уже присмотрел заранее. Сейчас мы ждем в засаде, чтобы начать свою работу. С Фоминым прикатило семь машин, набитых под завязку боевиками. Маленькой кафешке такое количество народа сразу принять тяжеловато. Сейчас начало девятого вечера. Огромные окна кафе не занавешены шторами, чтобы водители за едой могли не сводить глаз со своих тачек. В кафе ярко горит свет, а на улице уже почти стемнело. В бинокль вижу, как Марк разговаривает с Фоминым. Вот наш бизнесмен поднимается из-за столика и выходит на улицу. Так мы договорились. Сейчас в кафешке нет никого лишнего, кроме, конечно, буфетчика. Это кафе держат какие-то хачики, и мне они совсем не интересны. Марк вышел и побрел в сторону своей машины. Он, наверное, сказал, что забыл документы и возьмет их, пока еще не подъехали представители поставщика. Сейчас у него будет возможность убедиться, как это делается.

Мы выходим из засады и, встав полукругом перед зданием, открываем по сидящим в кафе ураганный огонь. Грохот выстрелов, вопли, падающие на пол тела боевиков, паника. На ходу перезаряжая автоматы, врываемся в разгромленную забегаловку. Нахожу Фомина. Он ранен по меньшей мере трижды, но копошится еще на полу. Он меня видит, и взгляд у него совсем дикий. Одним выстрелом дырявлю ему башку. Мои парни достреливают раненых. Заглядываю за стойку. Хачик бармен тоже готов. Повара, работавшие на кухне, сбежали в лес через заднюю дверь, но тоже не все. Двое остались остывать на полу возле плиты. Пули «акээмов» легко прошили стекла и тонкие перегородки кафешки. Хачикам сегодня, получается, не повезло...

Марк уже убрался подальше от страшного места. И мы здесь долго не задерживаемся. Валим в лес и уходим своей дорогой. Вот теперь наш бензиновый бизнес очистился от проблем. Подозреваю, что это ненадолго... У Марка в городе полно конкурентов. С ними нам придется встречаться еще не раз, но пока они не пытаются вмешиваться в бизнес Марка. Хотя наверняка кто-то уже завтра решит, что Марк остался без «крыши» и попытается к нему подкатить. Пусть пытается...

— Антоныч! На меня наехали! — волнуется Марк, трясясь от страха, когда я на следующий день после полудня заезжаю к нему в офис. Лицо моего компаньона бледнее некуда. Этак его и удар хватит.

— Успокойся, приятель, — улыбаюсь ему по-дружески. — Давай присядем, и ты расскажешь все по порядку.

Марк пыхтит и отдувается, постоянно вытирая платком пот со лба. Вроде бы и не жарко, но у него это нервное. Потом он послушно устраивается в кресле напротив меня, заказывает секретарше чай.

Странное дело, но у меня сейчас мысли о другом: вчера я поцапался с Наташей. Вернее, она со мной. Не могу понять, почему тетки такие неблагодарные? Я купил ей машину, снял квартиру, девчонка ходит вся увешанная золотыми побрякушками килограмма на полтора и совершенно не стеснена в средствах. И она учит меня, как я должен жить. Видите ли, какой-то ее знакомый художник (откуда он вообще взялся?), так тот, мол, уже добился признания за рубежом и теперь зарабатывает неплохие бабки. Смысл в том, что у людей всегда много возможностей зарабатывать себе средства на жизнь, не нарушая закон... Это она мне! Я спросил ее, похож ли я на творческого человека и как она вообще представляет меня в этом амплуа, черт ее дери? Девчонка нагло заявила, что я идиот и не понимаю общепринятых человеческих отношений. Со мной так еще никто не разговаривал! Вот ведь, бля, и делай после этого людям хорошее! Черт с ней. Личные проблемы не должны мешать делу, тем более что Марк мне уже что-то говорит.

— ...Прикатили сразу по открытию офиса. Мы и зашли почти вместе. Вот он мне тогда сразу и заявляет: «Будешь работать с нами!» — Марк разводит руками. — Их трое приехало. Но самого Семена не было.

Врубаюсь, о какой команде идет речь. Бригада Семена — серьезная бригада. Они «кроют» разные сферы в городском бизнесе и авторитет наработали неслабый. Что ж, Семен так Семен...

— Ладно, Марк, — останавливаю толстяка поднятой рукой. — Я уже все понял и улажу это дело. Семен, по сути, не такая уж и большая проблема.

Марк снова бледнеет.

— Антоныч, — тихо говорит он, — а нельзя ли уладить все нормально? Ну-у, я не знаю... Без стрельбы?

Пожимаю плечами:

— Я буду с ним говорить. Если Сеня меня поймет, думаю, мы все решим без крайних мер. Не волнуйся заранее.

Марк облегченно вздыхает.

— Я просто видел, как ты разбираешься с конкурентами, — говорит он, сокрушенно покачивая головой. — Уж больно у вас радикальные меры...

Я усмехаюсь:

— Как говорят военные, превентивные меры. Лучше вмазать первому и попасть, чем получить такое самому...

Нам приносят чай и печенье. Секретарша у Марка — девочка, словно сошедшая с обложки журнала.

— А ты мужик не промах! — говорю ему, кивая вслед ушедшей за двери кабинета секретарше.

Марк отмахивается.

— Да не трахаю я их, — кривит он лицо. — Болен. Уже год. Надо к врачу обращаться, да у нас таких спецов пока нет. А за бугор лететь времени не хватает.

— Это что у тебя такое? — не понимаю я. — Что-нибудь подхватил?

— Нет, не венерическое, — отмахивается он. — Сам не знаю точно, как там по-научному эта фигня называется, но когда я консультировался у профессоров, сказали, что, возможно, это нервное. У нас еще не лечат.

— Так смотайся на запад!

— Некогда, Антоныч. Сам же видишь, что здесь творится.

— Вижу. И как твою козу зовут?

Марк смеется, грозит мне пухлым пальчиком.

— Ты что это, Антоныч, удумал? — колыхается он. — Это у меня рабочий инвентарь!

— Инвентарь у тебя только до семи вечера, как я понимаю, а все, что на улице, — это мое, — улыбаюсь я.

— Да уж, — соглашается со мной Марк.

Глава седьмая

Парни, а именно Джонни и Костик, поднабрали людей в нашу команду. Бригада растет не по дням. Я не особенно интересовался, кто там такие, лишь бы не было скрытых ментов. Джонник заверил, что пацаны путевые, воевали в Афгане и точно не подведут. Ну и ладно, если так. Тем более я с тем народом заниматься лично пока не буду. За них отвечают мои пацаны. Теперь у нас есть три звена по пять бойцов. Выделили им деньги на приобретение трех машин. Кстати, нужно будет подумать над проблемой — какого хрена мы тратим деньги на автомобили, если можно подтянуть под техническое обеспечение нашей команды каких-нибудь коммерсантов. Я дал задание нашим новым бойцам, и нужно посмотреть, как они с этим справятся.

У меня на сегодня назначена стрелка с Семеном. Происходит это в центре города. Со мной приехали только Серый, Джонни и Костик. Парни хотели катить на встречу «заряженными», но я сказал, чтоб волыны никто не брал. Это было условлено между мной и Семеном. В предстоящем разговоре мы с ним можем погорячиться, и дело может реально обернуться самой невыгодной стороной. Мы оба это отлично понимаем, поэтому стволы не берем.

Сидим в машинах, припаркованых возле ДЛТ. Мы приехали пораньше и ждем уже минут десять. Точно в назначенное время подъезжают три «девятки» и черная «БМВ». Выхожу из своей машины. Семен тоже появляется на улице из своей тачки. Я заметил, как пять минут назад на другой стороне улицы припарковались две красные «восьмерки» с «глухо» тонированными стеклами. У нас в бригаде таких машин нет. Из «восьмерок» никто так и не вышел. Без сомнения, это машины Семена.

Встречаемся, здороваемся за руку. Позади Семена маячат двое бычар. Своим я приказал оставаться в машинах.

— Я наслышан о тебе, — говорит Семен, с интересом разглядывая меня. — Люди много чего мне говорили.

Семену лет за тридцать. Он со мной одного роста, но пошире в плечах. Одет авторитет опрятно и сверкает массивными золотыми украшениями. У меня такого добра, наверное, будет даже побольше.

— Взаимно, — хмуро отвечаю я и киваю в сторону тонированных восьмерок. — По-моему, кто-то нарушает наш договор с первых шагов.

Семен удивленно смотрит туда, куда я показал ему.

— В смысле? — не понимает он, так как на той стороне дороги торчат не только «восьмерки». Или он не хочет меня понимать?

— Вон те, красные, с тонировкой. Твои?

Семен поворачивается к одному из своих быков.

— Что там за тачки? — резко интересуется он.

Его парни делают знак остальным, и те быстро выбираются из машин. Заметив движение в стане Семена, выскакивают и мои кореша.

— Ты не приглашал вон тех, красных? — интересуюсь на всякий случай у Сереги. Друган смотрит через дорогу.

— Да нет, Антоныч. Это точно не наши.

— Может, мусора? — предполагает кто-то из друзей Семена.

— Да откуда сейчас у легавых такие машины? — возражает Семен. — У них на бензин-то денег нет...

Три бойца Сени идут через дорогу. Красные «восьмерки» стоят к тротуару боком. Как только в тех машинах заметили, что к ним идут бритоголовые бойцы, мгновенно в одной из «жулек» стекло полезло вниз.

— За машины! Отваливай!! — толкаю Семена рукой к его «БМВ» и сам быстро отпрыгиваю за капот своей тачки.

Мои пацаны реагируют так же стремительно, как и я. Тут же доносится целая россыпь выстрелов, и пули рикошетят от стен зданий. На тротуар падают двое зазевавшихся прохожих. Их зацепило серьезно, так как по тротуару тут же потекла кровь. Семен, прикрывшись капотом своей «БМВ», смотрит в мою сторону. Слышен рев форсированных двигателей, и автомобили, из которых нас обстреляли, сваливают в сторону Конюшенной площади. Выходим из укрытий.

— Серега! — рявкаю я на всю улицу.

Друган жив и уже рядом.

— Нет, ты видел! — начинает он, но я его перебиваю:

— Быстро бери аптечку и перевяжи вон ту женщину... — киваю я в сторону тротуара.

Одним из подстреленных прохожих оказалась немолодая женщина. Трое парней Семена, которые отправились проверить чужие тачки, валяются теперь на бульваре, разделяющем улицу Желябова пополам. Остальные все живы и невредимы. Пострадали только наши машины.

У моей продырявлено заднее стекло, так как я ставил ее наискосок к тротуару, а лобовое вообще разлетелось вдребезги. У Семена машину тоже зацепило.

— Валим отсюда! — говорю я и поворачиваюсь к Сене. — Ты едешь со мной?

Тот кивает и забирается в свою «бомбу».

— Не жди ментов! — кричу Сереге и отруливаю от тротуара.

Прохожих после пальбы словно вымело с улицы. Все куда-то попрятались, и нужно удрать, пока они не начали вылезать из своих нор. Выезжаю на Невский и газую в сторону площади Восстания. «Бээмвуха» Семена летит за мной. Не нарваться бы на гаишников. Переднего стекла у меня нет вообще, и только осколки от него валяются по всему салону и на капоте. Сворачиваю на Садовую и, миновав Сенную площадь, ухожу в Столярный переулок. За перекрестком с Казначейской улицей паркуюсь возле тротуара.

Выхожу из машины. Весь караван пристраивается мне в хвост. Отсутствует пока только Серега. Надеюсь, он успеет сделать перевязку до прибытия ментов.

Я вышел с монтировкой в руке. Семен, увидев это, замер возле дверцы своей машины. Джонни и Костик тоже не понимают, что я задумал, и замерли в ожидании. К Сене тут же подтягиваются его парни. Оружия у них нет. Все ждут моих действий. Подхожу к заднему стеклу своей машины и разбиваю его окончательно, чтобы не осталось никаких следов от пуль. Ко мне подходит Семен.

— Это точно были не мои, — говорит он, закуривая. Руки у него слегка дрожат.

Бросаю монтировку в багажник.

— Джонни, убери пока осколки, — говорю приятелю и показываю Семену, что нам лучше пройтись, чем торчать на виду у всех на тротуаре. Не спеша идем вперед.

— Непонятно, кто за кем охотится? — говорю я ему. — За тобой или за мной?

— Кто у тебя знал о нашей сегодняшней встрече? — интересуется Семен.

— Я своим пацанам сказал только утром, так как был уговор являться без стволов, а поэтому о чем их предупреждать заранее?

— Черт! Значит, кто-то из моих, — злится Сеня. — Кому-то понадобилось вальнуть меня под шумок. Если бы у них получилось, все спокойно можно было вешать на тебя...

В его словах есть смысл. Возможно, кто-то именно на такое и рассчитывал.

— Если сможешь выяснить, кто у тебя крыса, дашь знать, — говорю ему.

Семен кивает.

— Может, продолжим за горючку? — усмехается он.

Я закуриваю:

— Марк — это мой интерес. Ты должен это понимать. В долю я никого не беру и, как ты понимаешь, уступать свою позицию в данном вопросе не намерен.

Семен кивает. Он уже серьезен.

— Я хотел вести с тобой базар о другом, — начинает он вдумчиво. — Твой Марк собирается ставить новые колонки. Я знаю, что у него уже есть договоренность с администрацией города и ему выделяют участки. Треть из них на моей земле, и именно там, где мы собирались ставить сами... Ты должен понимать, что если он все-таки воткнет там свои АЗС, то будет уже совершенно другой расклад. Согласись, это мое право...

Это другое дело. Если у нас получается мирный разговор, то и незачем здесь упираться рогом.

— Я сниму эти вопросы, — обещаю ему. — Ты сможешь забрать те места под себя.

— Без балды? — поражен Семен моей быстрой сговорчивостью. Видимо, он уже наслышан обо мне и имеет другое мнение на этот счет.

— Даю слово, — заверяю его.

Семен улыбается:

— Тогда по рукам, братан?

Жмем друг другу руки.

— Мы вообще-то должны были сразу договориться с тобой о своих зонах, — говорю Семену. — А других я намерен покрошить. Если будут в процессе работы попадаться нормальные пацаны, там тоже договоримся. Но особо уступать, сам понимаешь, какой смысл? Зачем давать кому-то подниматься, чтобы он окреп, а после положил глаз на твою кухню? Согласись, волков много быть не должно.

Семен усмехается:

— Согласен. Но этот вопрос здесь не решить. Нужна более спокойная обстановка.

— Завтра подъезжай в офис к Марку, — предлагаю ему. — Там все и обсудим.

Семен согласно кивает:

— Буду к одиннадцати. Ну что, разбегаемся?

Еще раз жмем друг другу руки.

Оставляю свою тачку на улице, заранее протерев в ней все, чего я касался. Костик пока издали последит за ней, а Джонни смотается в автосервис и привезет мастера, чтобы тот вставил стекла. Кроме стекол, в машине больше ничего не повреждено.

Еду к Марку и объясняю, какой был у меня разговор с Семеном и что завтра мы с ним решим все оставшиеся вопросы. А Марк пусть думает пока, куда ему перенести три АЗС, чтобы не ставить их на чужой территории.

Машину мне сделали, и вечером мы собираемся у меня. Серега благополучно свалил с места происшествия, рассказал, что для той женщины он все сделал, а вот мужику пуля попала в сердце, и помочь ему уже никто бы не смог.

Сообщаю парням, о чем я договорился с Семеном, и мы еще долго обсуждаем необходимые вопросы. Наши действия с каждым днем требуют все более тщательной изначальной проработки.

Глава восьмая

И вторая встреча с Семеном в офисе Марка прошла довольно удачно. Мы до вечера обсуждали наши темы и достигли соглашений по всем возможным вопросам. Одно из главных в этой встрече — то, что мы договорились о взаимодействии. Теперь появилась возможность не переходить друг другу дорогу и в случае необходимости быстро связаться или пересечься для выяснения спорных моментов мирным путем. Будем надеяться, что это не окажется пустыми словами. Сеня пока еще пытается выяснить, кто же хотел нас завалить на Желябова. Возможно, это ему и удастся.

Отправив парней домой, еду к Неве. Хочется побыть в одиночестве. Вот-вот начнется июнь. Первый месяц лета и сессия в учебных заведениях. Народа на набережной, несмотря на столь поздний час, хватает. Много туристов, а больше молодых и веселых компаний. Очень теплый вечер. Не часто питерская погода балует своих граждан спокойными деньками.

Спускаюсь вниз к воде по гранитным ступеням и, присев на последней, курю, разглядывая противоположный берег. Хочется отвлечься, но мысли вновь и вновь возвращаются к делам сегодняшним.

Закрутили мы все резко и поставили бизнес серьезно. Но на одном дыхании империю не построишь. Здесь уже должна вестись тщательная, кропотливая работа. Очень важно всесторонне планировать каждый свой шаг. А что для этого требуется? Много чего. Нужна в первую очередь информация. Очень скоро она станет нам нужна как воздух. Слишком много отвлеченных факторов, способных вдруг неожиданно повлиять на состояние наших дел, и не только. В любую секунду, как тогда, на Желябова, мы можем оказаться под вражеским огнем, а это должно быть известно заранее. Необходимо начинать привлекать людей из других группировок. Вербовать их. Нужно насаждать своих «кротов» в крупные фирмы и образующиеся уже сейчас компании. Нужен свой банк. Необходимо растить мощную команду со своей службой безопасности, с разведкой и контрразведкой и мощным финансовым механизмом, способным в будущем повлиять и на политику. Нужно иметь своих «карманных» депутатов, и это минимум. Должны быть наши губернаторы, мэры... Черт! Понесло меня. Мысли лезут в голову как муравьи, которых невозможно сосчитать. Но самое основное: у меня уже выстроилась правильная концепция. Именно так все и должно выглядеть в будущем. А есть ли у нас это будущее? Странный вопрос. Он выдает мою неуверенность. Так не пойдет. Если сомневаться в себе, нельзя браться ни за что. Подобное я уже заметил давно. Малейшее смущение, немного сомнения — и все летит прахом. Нужно не сомневаться, а уметь правильно поставить задачу. Лишь от правильно поставленного вопроса может родиться верный ответ. А чтобы поставить верный вопрос, нужна точная информация. Вот и вернулись к тому же...

За моей спиной кто-то спускается по ступенькам к воде. И не один. Поворачиваю голову. Трое парней. Их взгляды устремлены на меня и ничего хорошего мне не предвещают. Но я спокоен. Этим паренькам, наверное, и восемнадцати нет. По ним видно, что мальчишки не успели развиться ни физически, ни умственно. Обычная подрастающая городская шпана, вмазавшая изрядное количество спиртного. Щенки почувствовали себя львами...

— Ты чего здесь затаился, мужик? — угрожающе интересуется один из них.

Поднимаюсь на ноги, поворачиваюсь к ним лицом. Эти мурзики мне по плечо.

— Какие-то проблемы, короеды? — усмехаюсь добродушно.

— Че ты вякаешь, сука? — выпрыгивает вперед пацан.

Легкий рывок — и позади меня слышен громкий всплеск и дикий вопль. В этом году парнишка, наверное, первым открывает купальный сезон. Его приятели отскакивают назад, принимая стойки. Наверное, не так давно они пошли заниматься каратэ. Засовываю руки в карманы, и под распахнутой курткой щенки видят у меня за поясом мощную рукоятку «стечкина». Весь их боевой пыл мгновенно улетучивается с легким невским ветерком.

— Да мы пошутили! — спешит заверить меня один из парней, встав чуть ли не по стойке смирно.

На ступеньки, уходящие в воду, фыркая и отплевываясь, кое-как вылезает ныряльщик.

— Как вода? — интересуюсь у него. Мне действительно интересно. Парень смотрит на меня снизу и тоже видит оружие.

— Вообще-то ничего, — шмыгает он носом и трясет головой, выливая воду из уха.

Позволяю ему выбраться на берег.

— Деньги есть? — интересуюсь у них. Пацаны понуро опускают головы. Они думают, что я буду сейчас их грабить.

— У нас все закончились... — тихо звучит ответ. — Рублей пять осталось...

Я бросаю им сторублевку.

— Домой на такси поезжайте, — приказываю им. — А то замерзнет ваш корешок и ласты завтра в угол поставит...

Поднимаюсь наверх и сажусь в машину. На набережной горят фонари, и народу поубавилось. Памятник Петру, поставленный Екатериной, красиво подсвечен снизу прожекторами. Разворачиваюсь и еду дальше. Интересно, открыто сейчас что-нибудь, где можно поесть? Ночных заведений в городе я пока не знаю, но они должны быть. Нужно спросить у таксистов.

Утром, как всегда, меня будит звонок Сереги. Насчет утра — это я, конечно, пошутил. Часы показывают начало двенадцатого. Серега говорит, что через двадцать минут будет у меня. Приходится вставать.

— Наши юниоры надыбали делягу с двумя ресторанами и пятью магазинами, — выкладывает Сергей с порога.

— И что? Он лег под нас?

— Да нет пока, — пожимает плечами Сергей. — У него ведь «крыша» есть.

— Так ты прилетел, чтобы сообщить мне вот об этом дерьме? — удивляюсь я. — Мы ведь договорились, что у нас выходные...

— Вот, как раз на выходных все можно сделать! — жизнерадостно сообщает приятель.

Чертыхаясь, иду на кухню готовить завтрак.

— Есть будешь? — спрашиваю Серого из кухни.

— Давай! А что есть?

— Может, тебе меню составить? — ворчу, прикидывая, сколько недоспал благодаря приятелю.

— Во-во! И официантку, пожалуйста, зашлите! — басит кореш из гостиной.

— Я тебе стюардессу подыщу, — обещаю ему.

— Они лучше? — орет он.

— Они удобней, ты у меня сейчас по комнате летать будешь!

Серега ржет так, что дребезжат стекла в шкафу. Готовлю яичницу с колбасой и помидорами. Только успеваю снять сковородку с плиты, как в прихожей раздается звонок. Иду открывать. На пороге Костик.

— Не спишь? — интересуется он вместо приветствия.

— А что я сейчас, по-твоему, делаю?! И тебя, что ли, кормить надо?!

— А что есть? — тот же вопрос.

— Костик! Поди сюда! — басит Серега из гостиной. — Тема новая!

Завариваю чай и нарезаю хлеб. Тарелки не беру. Не баре, пожрут и со сковороды. Достаю огурцы и помидоры. Все свежее, хоть и не сезон. Наконец-то хоть в чем-то начинаем жить по-людски. Снова звонок в дверь. Ну, блин! Повалил народ!

Серега идет открывать, и через пару секунд слышу в прихожей веселый голос Джонни. Черт бы их побрал! Отдохнул, называется! Заливаю салат сметаной.

— Идите жрать! Эй!!

Толпа заваливает в кухню и вмиг сметает все со стола. Сидим, пьем кофе.

— Антоныч, давай сделаем этого делягу... — настаивает Серега. — Мы с его «крышаками» в мах разберемся, зато у нас свой ресторан будет!

— Вот пусть новенькие и занимаются этим, — отмахиваюсь я.

— А у нас есть еще что-нибудь для себя? — интересуется Джонни. — Скучно как-то стало без дела торчать...

— Вот и поехал бы в лес, пострелял, — ворчу я. — Какого хрена людей по утрам будите зря?

— Так скучно ведь, — отвечает Костик, закуривая.

Через полтора часа провожаю народ, предупредив, что в следующий раз заминирую все подходы к дверям. Естественно, они пропускают мое брюзжание мимо ушей. День сегодня вообще-то обычный, будний день. Но я хочу кое на что посмотреть и разведать обстановку. Для начала заезжаю в офис к Марку. У него дела идут нормально, но он просит меня побыстрее разобраться с конкурентами на трассе. Это мы сделаем обязательно. Как раз работа для наших новых бойцов. Пусть парни пошмаляют вдали от города да наведут ужас на мелких спекулянтов бензином.

Потом катаюсь по городу, присматривая хорошие места для будущего нашего бизнеса. Затем еду по полученному недавно адресу. Я звонил в Красноярск, и Вор дал мне координаты своего коллеги в Питере. Правда, у нас не Вор, но ставленник от сходняка в Москве, призванный быть смотрящим в нашем городе. Мне нужно с ним переговорить об отчислениях в воровской общак. О себе забывать нельзя, но и о людях тоже надо помнить. Я совсем недавно говорил по телефону с Волком и рад, что у него дела идут отлично. Пацаны в Красноярске наращивают обороты. Все живы, здоровы и мне того же желают. Парни зовут в гости, но вряд ли это случится в ближайшее время. Волк сказал, что они учредили банк, а он даже успел смотаться за бугор. Цыган, как я понял, с головой погрузился в бизнес. Учится всему прямо на ходу.

— Наслышан о тебе, Антоныч, — говорит Чахлый, покашливая в кулак. — Проходи, устраивайся, как тебе удобней.

Захожу в клетушку, служащую смотрящему рабочим кабинетом. Вернее, он здесь встречается с людьми. Находится все это в здании бывшего дома быта. Таких клетушек-комнат здесь не перечесть.

— Чифирнешь? — интересуется положенец.

— На воле этим не балуюсь... — отказываюсь от едкой жидкости, которую в подобном состоянии чаем назвать уже нельзя.

В тюрьме мне показывали, как легко разъедает чифир кусочек лезвия бритвы, если его оставить в кружке на сутки.

— Где за хозяином чалился? — спрашивает Чахлый, устраиваясь в ветхом креслице и кивком приглашая меня присесть напротив. Он худоват, но жилист. Плешивая голова щедро подернута сединой. Скуластое лицо пожилого человека. Чахлому, наверное, лет под шестьдесят, не меньше. Но все его движения вкрадчивы и упруги, словно таят в себе скрытую мощную пружину. Взгляд может быть разным, от смертельно-холодного до по-домашнему теплого. Этот старик прошел огонь и воду и немного больше...

Наш разговор затягивается часа на три. Поговорили мы душевно, без дерготни и недомолвок. Чахлый, по его словам, был изначально предубежден против меня и согласился разговаривать, лишь когда Вор из Красноярска уверил его, что я хоть и действую подчас как совсем безбашенный, но это только так кажется со стороны...

— Что ж, поверил я тебе, Антоныч, — кивнув, говорит мне Чахлый, — хотя молва о тебе нехорошая шла, кровавая. Слишком уж лют ты. Но вижу, после нашей с тобой беседы, не напрасно ты рубишь головушки, не напрасно. Те люди ко мне не приходили и не собирались. Совета у воров не просили. А ты сам пришел. — Старик закуривает беломорину, долго кашляет. — Решай сам, когда будешь греть братву. А я в случае чего подсоблю тебе своим словом, где это надо. А если сам не сумею, люди помогут.

— Вот здесь мой первый взнос... — ставлю перед стариком спортивную сумку. — А дальше когда сам буду приезжать, когда человека пришлю.

Старик заглядывает в сумку и удивленно качает головой.

— Дела... — произносит он, увидев, сколько там денег. — И не жаль? — в глазах Чахлого лукавое любопытство.

— Было б жаль, не принес, — усмехаюсь я. — И не на откуп пришел. Считаю, что так у нас быть и должно, потому как государство нам пенсию не назначит, да и за людей в зонах печали не имеет...

— Верно говоришь, — кивает старик. — Правда у нас своя.

Глава девятая

Проезжая по Петроградской стороне, вижу, как с тротуара голосует машину интересная девушка. Торможу.

— Мне до Невского, — приятно улыбаясь, говорит она.

— Садитесь, — разрешаю я.

Она быстро устраивается рядом. Ножки у нее в светлых, тонких колготках, довольно аппетитные. Приятная девчонка. Не спеша отъезжаю.

— Мне до Казанского, — уточняет она маршрут.

— Куда угодно, — уверяю ее.

— У меня только десятка, — предупреждает она об оплате проезда, с сомнением косясь на мои руки, лежащие на руле.

На правой руке она отлично видит перстень с бриллиантами, стоимость которого около семи тысяч долларов.

— Это очень большие деньги, — шучу я, — мне нечем давать сдачу.

Девушка смеется. Вот так же я встретил в Крыму Ингу, которая оказалась киллером...

— Вы учитесь? — интересуюсь я у пассажирки.

У девушки на коленях пухлая сумочка, вид которой вызывает у меня ассоциации с портфелем.

— Можно сказать и так, — уклончиво отвечает она, продолжая улыбаться. Некоторое время едем молча. Я хотел бы ее разговорить, но что-то меня удерживает, даже сам не понимаю. Неужели я стал такой подозрительный? Глупость какая!

— Я хотел у вас спросить еще вчера... — говорю ей.

Она недоуменно смотрит на меня:

— Вчера?!

— Да, — киваю ей, — но у вас был очень недоступный рабочий вид. Что-то случилось?

Девушка в полном недоумении от моих слов.

— Простите, а разве мы с вами вчера встречались?

— Так я же заходил к Николаеву, а вы там как раз рядом и были.

— Странно, — хмурится девчонка, она не может никак догнать, что я ее разыгрываю. — У нас вроде Николаева нет. Впрочем... Не важно... А вы где работаете?

— Да как сказать? — пожимаю плечами. — Вроде сейчас уже и не работаю уже. Ушел в коммерцию...

— А-а! — тянет девушка понимающе и вздыхает. — Сейчас совсем трудно стало. Не то, что раньше.

Мне тоже непонятно, о чем это она, но вида не показываю и киваю ей значительно, как будто понимаю, в чем тут дело и почему она так вздыхает.

— Это точно, — поддакиваю ей. — Не то, что раньше, поэтому и ушел.

— А я всего два года, — вдруг оживляется она. — А вы, наверное, в адвокатуру ушли?

— Да нет, знаете ли... Не для меня это. Я теперь больше по части охраны.

— Здорово! Наверное, теперь и зарплата у вас не та, как я могу заметить, — кивает она на перстень.

— Другая. Это точно...

— А вы с какой должности ушли? — опять интересуется она.

— Зам начальника отдела...

— Отдела?! — брови девочки ползут вверх. — А звание?

Вот теперь я, кажется, полностью врубаюсь, откуда эта девушка. Она или из ментовки, или из прокуратуры. Недаром я сразу почувствовал какой-то дискомфорт...

— Это уже не важно, — смеюсь я от души.

Девчонка продолжает удивляться:

— Я разве сказала что-то смешное?

— Совсем нет, — улыбаюсь я. — Но я вас очень легко «пробил», гражданин начальник. Смею заметить, что очень вы непрофессионально подходите к разговору...

Девушка немеет и не знает, как ей поступить. То ли испугаться и выпрыгнуть из машины, то ли рассмеяться. Она остается серьезной.

— Так это вы меня разыграли?

— Ну, а как же еще? Ведь вы ничего мне не отвечали.

Девушка вдруг весело хохочет. Видимо, характер у нее не испорчен еще этой работой.

— Я криминалист, — признается она. — Два года уже работаю. Младший лейтенант.

— А я бандит, как вы сами видите, — шутя представляюсь ей. — И работаю гораздо дольше вас...

Мы познакомились. Девушку зовут Таня. Криминалист. Охренеть, какие у меня появляются знакомые.

— А вы не боитесь, Антоныч, что я вас раскушу и после арестую? — интересуется она вроде бы в шутку.

— Возможен и такой вариант, — соглашаюсь с ней.

Что еще можно ожидать от мента? Впрочем, Таня все-таки классная девчонка. Оказывается, у нее сегодня выходной и она решила пройтись в центре по магазинам. Вызываюсь ее сопровождать. Вот ведь фигня! Даже слово-то какое — сопровождать мента! Но тем не менее так оно и получается. Ходим по магазинам. Машину я запарковал, и мы не спеша гуляем. Погода установилась превосходная. Даже жарко. Плащ я оставил в салоне автомобиля и хожу теперь в пиджаке. Я беру частный катерок, и мы катаемся по Неве и каналам города. После, вполне естественно, едем ужинать в ресторан. Я даже и забыл о том, что она мусор. Ее я привез в то место, где работают до утра. Здесь можно и нормально поесть, и потанцевать. Где-то в час ночи начинается шоу и выступают в танцевальной программе какие-то артисты. Потом мы танцевали до четырех утра.

— Я немного устала, — признается Таня. — Может, поедем?

— Как пожелаешь, — соглашаюсь с ней. — Куда вас, мадам, доставить?

— Домой, конечно же. На Петроградскую, — улыбается она.

Когда мы с ней танцевали, у меня была возможность обнаружить, что тело девушки нежное и сама она мягкая и податливая, как пластилин. Ну как такая может работать в ментовке?

— Я мог бы пригласить тебя ко мне на утренний кофе... — предлагаю ей вполне прозрачно.

— Спасибо. Кофе я привыкла пить по утрам дома, — смеется Таня, — или на дежурстве...

Довожу ее в целости и сохранности до подъезда. Она открывает дверцу машины, собираясь выйти, и оборачивается ко мне:

— А ты разве не хотел кофе? — удивляется она. В ее глазах смешинки.

— Именно этого чертового кофе мне сейчас в особенности и не хватает, — говорю я, выбираясь из машины.

Татьяна живет в небольшой комнатке большой коммунальной квартиры. Естественно, что до самого кофе у нас дело так и не дошло. Мы успели дойти только до кровати...

В начале первого я ухожу от девушки, не став ее будить. Мы долго не спали, занимались любовью, разговаривали. Мне понравилась эта девчонка.

Еду сразу в офис к Марку. Меня здесь ждут.

— Где ты пропал?! — несется мне навстречу Серега, едва я успеваю выйти из машины. За ним спешат Джонни и Костик.

— Случилось что? — вижу, что ребята явно чем-то озабочены.

— Звено Васьки грохнули на «стреле»! — волнуется Серега. — Я ведь говорил, не надо было посылать зеленых!

— Паршиво, — соглашаюсь с ним. — Значит, это из-за тех гребаных ресторанов.

Парни ждут моего решения. Где найти придурков, убивших наших пацанов, я знаю. Придется ими срочно заниматься.

— Джонни, давай рули, сам знаешь куда. К шести вечера будешь ждать нас в Озерках. Насчет места ты тоже в курсе.

Джонник, кивнув, уходит к своей машине.

— Нужно взять с собой корешка Васьки, — говорит мне Костик. — Пусть посмотрит, как это делается.

— Давай собери парней, пусть едут с нами.

Костик тоже уезжает. Серега остается со мной, и я иду в офис, чтобы переговорить с Марком. Война войной, а бизнес есть бизнес...

В Озерках нас ждет «Урал» с фургоном. Оставляем одного пацана присматривать за машинами и толпой перелезаем в кузов. Нас собралось двенадцать человек. Разбираем из ящика оружие. Грузовик ведет Костик, и он в кабине один.

Едем на Гражданку, к модным ныне саунам. В одном из таких притонов, адрес которого нам известен, и должны сейчас кучковаться парни, курирующие коммерсанта, из-за которого убили наших ребят. По этой команде у меня уже давно собраны все сведения. Через небольшое запыленное окошко фургона наблюдаю за входом в сауну. Она расположена с торца жилого дома в подвале. Перед входом в подвал стоят несколько машин. Похоже, мальчики уже собрались развлекаться. Сейчас им станет очень весело...

По рации говорю Костику, чтобы он отъехал немного подальше. Незачем мозолить глаза прохожим там, где через десять минут будет куча жмуров...

Выходим из фургона. У каждого на плече спортивная сумка, в которой готовый к бою автомат. Я сказал парням, чтобы в помещении они пользовались только «марголинами», так как в тесноте от мощных рикошетов акээмовских пуль мы погибнем сами. Автоматы у нас только на случай трудного отхода.

Спускаемся в подвал. Железная дверь сауны заперта. Глазка в дверях почему-то нет. Оглядываю на всякий случай весь верх, но никаких следящих камер не замечаю. Нажимаю на кнопку звонка.

Мои парни стали вдоль стены.

— К кому?! — спрашивают с той стороны.

— Я заказывал!

— Нет никаких заказов! Приходите завтра! — рычат из-за двери.

— Как это нет! Деньги уже взяли, а теперь нет? У меня сейчас кореш с телками подъедет! Вы че там, блин, прибурели?!

— Счас! — многообещающе звучит за дверьми.

Грохот железа, и дверь открывается.

— Какого?.. — не договаривает пацан, видя направленный ему в живот ствол «марголина».

Заходим без проблем. С правой стороны по коридору бильярдная, и в ней двое полураздетых типов. В помещении жарковато. Этих мальчиков остается караулить пара наших парней. В следующем помещении что-то вроде чайной. Тут много места, большой стол, самовар и множество чашек и прочей посуды. Есть и холодильник. Еще одно помещение изображает из себя комнату отдыха с диванами, телевизором и прочими удобствами. И наконец, дверь в сауну. Заваливаем туда. Управляемся со всем быстро. Четверых девчонок оставляем плескаться в бассейне, а двоих парней забираем с собой. Сгоняем всех в комнату отдыха. Я ни о чем пленных пока не спрашиваю. Сижу и слушаю, как это делают Серега и Костик. У ребят все получается и у самих. Поймали мы и лидера этой банды, и его ближайших помощников. Все в елочку. Они называют нам адреса и людей. Вижу, что разработали мы эту тему неплохо. С этого дня нашего бизнеса прибавится. Жаль только, что ценой жизни наших парней. Но их уже не вернуть.

Уходим, оставляя за собой достаточно мяса. Еще один эпизод нашей не совсем блестящей карьеры. Но еще Бальзак говорил: «За любым крупным состоянием кроется преступление».

Глава десятая

Следующим нашим шагом к большим деньгам, или очень большим деньгам, помимо автозаправок, я считаю торговлю машинами, а также аптечными товарами. Для этого необходимо наладить связи на заводах-изготовителях. Если говорить о машинах нашего производства, там наверняка вокруг уже давно сплотилась местная братва и хрен так просто подпустит к кормушке. Об этом я уже думал, но все-таки надеюсь, что мы прорвемся.

Вовсю катит лето, а дел у нас пруд пруди. К моей бригаде начинают постепенно подтягиваться мелкие команды, не способные решать серьезные вопросы без солидного прикрытия. Мы им такое прикрытие можем обеспечить, но я требую подчинения. Лихая вольница мне ни к чему. Общая численность уже достигает ста семидесяти стволов. С каждым днем в городе увеличивается количество коммерсантов, и с каждым днем соответственно растет число наших подопечных.

Почти середина июня. Я доже не могу точно сказать, скольким мелким предпринимателям моя бригада ставит «крышу». Бизнес попер в гору. Правда, это пока еще только наш бизнес.

Производственные мощности в стране обвалились к чертям собачьим. Слишком много предприятий работало на оборону страны. Теперь получается, что обороняться нам не от кого и заводы, которые раньше выпускали снаряды, штампуют сейчас авторучки и кастрюли, а те, что делали ракеты, — запчасти к машинам. В общем, страна пытается выжить, но практически ничего не производит. Сельское хозяйство переходит на фермерство, но и это не получается, так как нет закона о земле. Никто не дает фермерам ни техники, ни денег на развитие. Одним словом, полный бардак, как мы и привыкли. Все в русском стиле, все поголовно заняты спекуляцией. За бугор начинают вывозить стратегическое сырье, лес, сдавая все это по дешевке. Возник дефицит всего! Раньше был просто — дефицит, теперь же дефицит тотальный. И вроде бы есть все, и в то же время нет ничего. Такое может быть только у нас в стране. Но самое интересное, что почти всем это нравится, исключая пенсионеров. Хоть и ругают новое время, а старого никто обратно не хочет.

Марк снова в панике. Ему кто-то звонил и вполне серьезно угрожал.

— Это уже второй звонок, Антоныч! — Марк опять совсем бледный. Ему за пятьдесят, и не стоило бы так нервничать по каждому пустяку.

— Не кипишуй... — спокойно говорю я.

— Они угрожают не только мне, но и моей семье! — чуть не орет он.

Марка я знаю, а вот в его доме никогда не был и семьи его не видел. Но подобное незнание не избавляет меня от ответственности перед компаньоном, который честно выполняет все возложенные на него обязательства.

— Ты им сказал, что я с тобой? — интересуюсь у него.

— Конечно! Но тот ублюдок даже слушать не захотел, рассмеялся и заявил, что он нас закопает обоих...

— Как представился этот тип?

— Он сказал, что если я не хочу схавать пулю от снайпера, то мне нужно поехать в «Радиус» и встретиться там с генеральным директором. Там же я должен решить все вопросы...

— Езжай туда, — киваю ему, — и поговори. Я должен точно знать, чего они хотят и не был ли этот звонок глупой шуткой кого-нибудь из твоих приятелей. Потому что после начнутся серьезные изменения в этом самом «Радиусе». Главное, все подтвердить.

Марк явно колеблется.

— Мне ехать сегодня? — кисло спрашивает он.

— Естественно. Только чуть позже. С этого дня ты будешь под постоянной охраной.

Марк съездил в «Радиус», и все подтвердилось. Но шеф «Радиуса» вряд ли есть то лицо, которое угрожало Марку. Моего компаньона теперь охраняют два звена на четырех машинах. Я собираюсь установить охрану и в доме Марка. Он имеет квартиру в центре города, но живет с семьей бо́льшую часть года в пригороде. По словам Марка, у него великолепный дом во Всеволожске. Насчет дома я знаю. В тайне от Марка мне сделали фотографии его виллы. Дом действительно шикарный. Но оказывается, дочка у него учится на втором курсе института. Жена у Марка — домохозяйка, и с ней никаких проблем не будет, а вот с дочкой — больше чем нужно. Охранять ее будет сложно. Все дела по охране сгружаю на Джона. Он у меня возглавляет собственную службу безопасности. Женька служил в армейском спецназе Главного разведывательного управления и прошел там хорошую школу. Я с ним разговаривал отдельно, и Джонник согласился выполнять некоторые отдельные деликатные поручения, без коих наш бизнес в России — не бизнес вообще. И с охраной он справляется отлично, и уверенно ведет контрразведку.

Беру людей, и едем в «Радиус». Офис этой конторы находится в центре и выглядит довольно солидно. «Радиус» специализируется на поставках в город крупных партий горючего и претендует на собственную монополию. Я не знаю, кто у них «крыша», но кто бы это ни был, пусть даже Семен, я знаю только одно: покушаются эти типчики на мое дело. Свои дела я привык улаживать сам, радикально и очень эффективно.

У меня шесть машин и тридцать человек. Захватываем два этажа офиса без каких-либо проблем с местной малочисленной охраной. Тут же выводим из строя распределительный телефонный щит. Ни одна сволочь теперь никуда не позвонит. То, что здесь думают о нас вконец испуганные служащие, ничего не меняет в их положении. Если кто-то дернется, его тут же пристрелят.

Кабинет шефа «Радиуса» вполне удобен и комфортен. Сам же шеф сейчас так не считает. Он валяется на красивом паркетном полу и мажет собственной кровью все вокруг себя. Я его лишь слегка обработал перед разговором, чтобы он уяснил всю серьезность наших намерений.

— Так кто названивал Марку? — интересуюсь у него, сидя в шефском кресле за большим канцелярским столом.

Он пытается встать, но я резким пинком заставляю его вернуться в горизонтальное положение. Униженный человек всегда чувствует свою неполноценность, и с ним легче говорить сильному. Так и получается.

— Это все Руль, — шепелявит директор расколотыми передними зубами. — Я говорил ему, я предупреждал. Он сказал, что все будет в порядке и что Марка никакой Антоныч не кроет. Это, мол, все брехня. Марк, мол, сам выдумал себе покровителя, когда убили Фомина.

— Где найти Руля? — хмуро спрашиваю его, прикуривая сигарету левой рукой, так как в правой у меня АПС.

— Я вам дам телефон. И есть еще адрес, где он может находиться. Даже два адреса, — лепечет директор.

— С этого дня будешь работать на нас! — выношу свое решение по «Радиусу».

— Вы хотите, чтобы я платил вам за охрану?

Он, видимо, не совсем понимает, что такая мелочь меня не интересует. В конце концов, в этой конторе нет совета директоров, и замдиректора вполне может со всем управиться...

— У меня должен быть контрольный пакет ваших акций. Пятьдесят один процент, — спокойно объясняю ему.

Директор в это время, сидя на полу, вытирал платком лицо.

— Да вы, — начинает он и тут же затыкается, уловив мой взгляд.

Выбора у него нет и не будет. Есть, конечно, выход: ему предоставлено право умереть, но думаю, он этим правом не воспользуется.

— Подготовь все документы к завтрашнему дню! — приказываю ему. — К тебе заедет мой заместитель. И смотри, мужик...

— Я согласен! Я все понял, Антоныч!! — мгновенно уверяет он.

— Верно делаешь, — снисходительно киваю ему. — Твоей работе здесь никто не помешает, но я буду уверен, что ты не соберешься вдруг меня кинуть. Да, кстати, — поднимаю указательный палец от спуска пистолета, — с этого дня у тебя будет работать мой человек. Это будет твой новый заместитель. Все бумаги будут проходить через него, и пользоваться ты будешь только нашими счетами...

Директор скис окончательно. Но не он ли сам этого добивался? По-моему, я никогда не настаивал на приезде в эту контору. Но раз уж я здесь, то извольте терпеть, господа!

После «Радиуса» еду с тремя парнями проверить полученные адреса. Два из них — какие-то мелкие оптовые конторы, а третий — кафе-бар. Бар закрыт до вечера, так как работает по ночам. А в оптовых конторах Руля сегодня не было. Наверняка он уже в курсе моего посещения «Радиуса». Трудно теперь будет его найти...

В одной из оптовых контор я интересуюсь у хозяина, где и как я могу выйти на Руля. У коммерсанта имеется контактный телефон, но я уверен, что там сидит лишь диспетчер. И тем не менее звоню и прошу, чтобы Руль связался со мной.

Какая-то женщина в годах обещает, что все передаст по назначению. Быстро «пробиваю» ее телефон и посылаю по этому адресу дежурную машину. Описание Руля на всякий случай у них есть. Хотя вряд ли тот сам приезжает за информацией. Если к вечеру Руль не проявится, придется трясти посредников...

Возвращаюсь в офис Марка. Бедняга Марк просто в истерике. Он даже толком не может мне ничего поначалу объяснить и рвется куда-то уехать. Его сдерживает поставленная мной охрана.

— Стреляли в его дочь у института, — говорит мне один из парней. — Там был Джонни и еще четверо наших пацанов. Одного из них ранили. Джонни ухлопал двоих нападавших. Похоже, девчонку собирались похитить, но ничего у них не вышло.

— Отвезите Марка домой, — приказываю я. — Усилить круглосуточную охрану офиса и дома Марка. Девчонку в институт пока не пускать!

Беру парней, и едем проверять бар. Я хоть и сомневаюсь, что Руль туда подкатит, но убедиться должен лично. Находимся в баре до восьми вечера. Руль не приедет. Пора заняться диспетчером. Едем по адресу.

— На Руля похожих не приезжало, — сообщает наблюдатель из дежурной машины, — а к подъезду разные тачки подкатывали. Но кто их там разберет, от кого они и куда. Мы ведь не на площадке дежурили...

Наверное, мне бы стоило поставить парней возле дверей диспетчера. Но что об этом теперь размышлять?

Поднимаемся наверх. Двое моих подручных сейчас переодеты ментами. Звонят в дверь. Из-за дверей слышен женский голос. Парни объясняют, что они обязаны снять с женщины показания по возбужденному уголовному делу. Народ у нас все еще боится мусоров, поэтому дверь без вопросов открывают. Вваливаемся внутрь. В квартире никого нет, кроме самой хозяйки. Ей лет под сорок, но выглядит она довольно неплохо.

— Как найти Руля?! — рычу на нее.

Оружие не достаю.

— Я не понимаю, о ком вы? — ужасается тетка.

— Кому ты передаешь сообщения?!

Женщина как уселась на пол в коридоре, так и сидит. Она в черных вельветовых джинсах, поэтому подобное положение ее не смущает Из комнаты выходит один из парней и подает мне тетрадку с записями сообщений. Все адресованы Рулю.

— Если ты, сука, сейчас же не начнешь говорить — вылетишь с балкона, — тихо предупреждаю ее.

Я не шучу и не пугаю. Все может произойти именно так, как я говорю...

— Я только диспетчер! — плачет она, закрывая руками лицо. — Я ни в чем не участвую!

Может, оно и так. Сейчас диспетчеров развелось много.

— Проверь-ка ее документы! — приказываю я своему пацану.

Тетка тихо поскуливает, не пытаясь подняться. Мне приносят ее паспорт. Уже лучше. Оказывается, она прописана вообще не здесь, а в области. Вряд ли она снимает квартиру на зарплату диспетчера. Значит, дамочка при делах...

— Вставай, паскуда! — рявкаю на нее.

— Нет!!! — вопит она. — Я не хочу!!!

Ее вопли могут взбудоражить соседей. Резко нагнувшись, коротким движением выключаю у женщины дыхалку и, рванув ее за волосы, волоку в комнату. Бедняга тоненько воет, барахтаясь на полу. Она ухватилась за мои руки, чтобы я не сдернул с нее скальп. Из-за этой суки могут убить гораздо больше людей, поэтому церемониться с ней я уже не собираюсь. Швыряю ее на диван.

— Рассказывай все, тварь! Быстро! — Щелчок взводимого курка, и глаза женщины чуть не вылезают из орбит. — Заорешь — пеняй, сука, на себя!

— Его человек сидит в Петергофе, — рыдает она, пытаясь нас разжалобить. — Меня заставили! Я все скажу!

Она дает адрес, но я не верю ей ни на грош. Придется устроить проверочку.

— Бери ручку, садись за стол, пиши! — приказываю ей.

Она выполняет, размазывая рукой по лицу слезы и потекшую косметику. Диктую, опять же от себя, сообщение Рулю. Она должна будет передать его сейчас.

— Принесите ей воды!

Наконец тетка слегка успокоилась и уже в состоянии нормально говорить. Она звонит в Петергоф, передает мое сообщение, а я слушаю, что ей отвечают.

— У него сейчас в городе заморочки, — слышу я мужской голос в трубке. — Он мне отзванивался, сказал, что, возможно, будет только к ночи. Но не известно точно... У тебя как там?

— Неплохо, — говорит женщина так, как я ей велел отвечать. — Я сейчас убегаю, хочу к подруге съездить, давно обещала... Так что на сегодня все.

— Ладно, — соглашаются на том конце. — Только не загуляй.

Женщина вешает трубку и смотрит на меня.

— Расскажи, что там за адрес и кому все это принадлежит, — приказываю ей.

Она говорит, что там частный дом, но также снятый в аренду. Мужик, который ей отвечал, —

доверенное лицо Руля. Я уже прикидываю наши дальнейшие действия.

— Миша, прибери здесь, — бросаю я на выходе своему помощнику. Тетку оставлять нельзя. Я уже убедился, что она темная лошадка в команде Руля, и поэтому после нашего ухода ее уберут. Не знаю, как там Миша разберется, но скорее всего будет что-то из серии несчастных случаев.

Глава одиннадцатая

В Старый Петергоф едем на двух машинах. Первая задача довольно сложная. Как зайти к мужику, я уже спланировал, но требуется этот момент тщательно подготовить.

Выбираем тихую улочку. Здесь остаются еще трое моих парней. Ребята прячутся в пышных кустах по соседству. Улица освещена только белой питерской ночью. Кусты отлично скрывают пацанов. Присаживаюсь на газон. Наши машины уезжают в заранее условленное место. Ждем. Минут через сорок на улочке показывается патрульная машина ментов. То, что нужно.

Делаю вид, будто напился в хлам и не могу подняться с земли. Все время меня тянет обратно, и я падаю на карачки. Земное притяжение для пьяниц крайне опасно. Слышу, как позади меня тормозит «уазик» мусоров. Хлопают дверцы.

— Во надрался! — восхищается один из них.

В наряде должно быть трое милиционеров.

— Гляди-ка, Андрюх, а мужик вроде солидный.

Вижу рядом со мной ботинки полицейских. Две пары ног. Шоферюга остался за рулем.

— Эй! Мужик! — толкают меня носком ботинка. Валюсь на бок. — Ты откуда?!

Мычу что-то нечленораздельное в ответ.

— Да хрен с ним! — говорит другой мент. — Не тащить же его в отделение. Сейчас тепло, не замерзнет... Поглядим, что у него есть с собой, и пусть катится, все равно ведь отберут...

— Ну что там возитесь?! — подает голос водила из машины. — Ошмонайте его, и катим дальше!

Парни приседают рядом со мной. Вижу, как рука одного из них лезет мне в пиджак. Этого мента я делаю первым. Второй попытался отскочить, но из кустов молнией промелькнули три тени, и через минуту мусоров без сознания раздели догола и забросили в кусты. Вот уж повеселятся их коллеги!

На милицейском «уазике» доезжаем до нужного нам дома. Заходим в калитку, и я требовательно гремлю в дверь. В окне дома мелькает чье-то лицо.

— Что случилось?! — раздался испуганный голос.

— Открывайте, гражданин! — рявкаю я. — Милиция!!!

Дверь незамедлительно распахивается. Поражаюсь я нашим людям. Вроде этот тип с законом не дружит, а ментов послать куда подальше боится.

— Что произошло-то?! — волнуется мужик лет тридцати пяти. Он, видимо, уже лег спать, поэтому торчит теперь перед нами в одних спортивных штанах.

— Кто у вас еще в доме? — интересуюсь я.

— Да никого! Можете сами все посмотреть! — корчит он из себя добропорядочного гражданина, готового всегда и в любое время помогать родной милиции.

Заходим внутрь. Мужик включает везде свет. Сильным ударом в челюсть отправляю его в ближайший угол.

— Убирайте УАЗ, и пусть машины поставят в лесу через дорогу, — отдаю я команды своим.

Парни устремляются исполнять. Со мной остается Михаил, который приводит мужика в чувство посредством холодной воды из кастрюли и парой оплеух.

— Сырость не разводи, — предупреждаю его, видя, как он льет воду.

Мужик приходит в себя.

— Где Руль?

— Не знаю... — обреченно отвечает он, опуская голову и трогая разбитое лицо.

— Давай говори, придурок! Ты думаешь, мы к тебе из ментовки прикатили? Или все-таки тебе паяльник в жопу вставить? — прибегаю к более известной у нас в стране угрозе.

— Он обычно только ночью приезжает, — начинает выдавать мужик информацию. Вернее, сдает своего корешка. — Но не всегда. Иногда у Жанки может осесть...

— Это которая на Просвещения? — пробиваю его, так как никаких Жанн Руля я не знаю.

— Да нет. Эта Жанна в Автово.

— Адрес?

Мужик называет адрес.

Мы устраиваем засаду в лучших традициях. Но чаи не пьем и в карты не играем. Рассредоточиваю пацанов по всему дому, загоняя одного даже на чердак. Никаких лишних разговоров быть не должно.

«Гости» появляются к трем ночи. Подъезжают на одной машине. Хозяин дома идет открывать. Вид у него более-менее благополучный, если не считать вздувшейся морды с левой стороны лица.

— Что у тебя с харей-то? — слышен грубый голос от порога. — Подрался, что ли?

Из машины вышли трое парней. Водитель, видимо, остался в тачке.

— Да нет, — огрызается мужик. — В коридоре об угол треснулся.

— Экий ты неловкий, — безразлично говорит грубый голос, и троица идет в комнату.

Парни крепкие, стриженные под ежей, в кожаных куртках. Выхожу им навстречу с АПС в руке. Немая сцена.

— Давай на пол! — командую им спокойным голосом.

Дальше все идет по плану. Троица мгновенно рассыпается, пытаясь выхватить стволы. Стреляю в их старшего. Он дергается, выгибаясь как гимнаст, и валится на сервант. В серванте бьется стекло, шкаф шатается и сыплются с полки какие-то фужеры. Михаил стреляет от дверей. В ответ звучат лишь два выстрела. Я успел присесть, заметив, когда тип нажал на курок, и пули ушли выше. Луплю в ответ, и стрелок затихает. Хозяин дома валяется на полу, закрыв голову руками. Успел все-таки грохнуться на пол и не попасть под огонь. За окном слышны выстрелы по удаляющейся машине. Затем до нас доносится приглушенный грохот сминаемого железа. Водила уйти тоже не смог.

Среди прикативших парней Руля нет. Но, может, он оставался в тачке? Один из парней еще дышит. Подхожу к нему.

— Где Руль? — задаю уже надоевший и мне вопрос.

— Его нет, — хрипит раненый.

— Где он? — ору ему в лицо. На губах парня уже пузырится кровь.

— В городе, у телки… Врача…

— Тебе врач уже не нужен, — сообщаю ему и, отойдя на пару шагов, дырявлю боевику лоб.

— Нужно уходить, Антоныч! — волнуется Миша. — Шуму уже на всю округу подняли!

— Уходим! — соглашаюсь с ним.

Навскидку, не целясь, всаживаю в хозяина дома три пули. Две в грудь и одну в голову. Сматываемся из Петергофа в Питер.

Раннее утро. Скоро покажется солнце, и пролетариат попрет на работу с опухшими от сна или пьянки мордами. Народ теперь злой, голодный. Наше дело ждать. Машины ставим подальше от подъезда дома, где живет некая Жанна. Я засыпаю, велев разбудить меня в девять утра. Но пробуждение наступает раньше, так как солнечные лучи бьют мне прямо в глаза. Пытаюсь во сне от них увернуться, но не получается. Приходится вставать. Выбираюсь из машины.

— Руль вроде не выходил, — говорит мне Михаил.

Разминаю затекшие мышцы. Костюмчик я ночью слегка испачкал, но он темный, поэтому пока сойдет и так. Брюки немного помялись.

— А ты не спал? — усмехаюсь я.

Миша тут же категорически мотает головой. Из второй машины появляются ребята.

— Может, его на хате накроем? — предлагает Антон.

— На хате не стоит, — говорю я. — Руль, как мы успели убедиться, достаточно опытен и так просто себя взять не даст. Я им займусь сам. Миха, дуй к метро и купи цветов, только быстро!

День уже разошелся, машины мотаются туда-сюда, как и прохожие. Коммерсанты торгуют теперь с самого раннего утра. До станции метро «Автово» отсюда недалеко. Наши машины стоят почти в торце дома, а окна квартиры Жанны выходят на другую сторону.

Михаил быстро возвращается с большим букетом роз. Пацаны что-то шутят по этому поводу. Иду в подъезд и поднимаюсь на лестничную площадку между третьим и четвертым этажом. Отсюда мне прекрасно видна дверь квартиры Жанны. Стою, жду. Несколько раз мимо меня спускались какие-то люди, но я делал вид, что смотрю в окно и жду. Какие может вызвать подозрения парень с цветами?

Я уже почти озверел торчать на лестнице, когда к подъезду подкатил зеленый «опель». Водитель остался на месте, а из машины вышел бычок и потопал в подъезд. Быстро и тихо говорю по рации своим, чтобы они приготовились. Внизу хлопает входная дверь, и слышно, как поднимается парень по лестнице. Дом пятиэтажный, сталинской постройки, и лифта в нем нет. Бесшумно поднимаюсь выше этажом. Все точно, боец прикатил за своим шефом. Слышу, как парень звонит в дверь и как ему открывают. Руль прощается со своей подругой.

Достаю из-за пояса «марголин» и тихо спускаюсь вниз. Меня замечают, когда уже поздно. Выстрелы даже из мелкокалиберного пистолета звучат громко в гулком подъезде. Руль получает три пули, две из них в башку, и его приятель также не остается мной обделенным. Скатываюсь по ступенькам вниз. Обойму перезаряжаю на ходу и цветов не бросаю. На шелестящей обертке могут остаться отпечатки пальцев, как моих, так и Мишиных. Водитель в «опеле» среагировать не успевает. Похоже, он и выстрелов-то не слышал, так как в салоне машины вовсю орет

музыка. Сначала водила «опеля» видит букети-
ще цветов, а потом из-за него появляется ствол
моего «Марго». Четыре выстрела, и можно уходить со спокойным сердцем. По дороге меня под-
хватывают наши машины.

Вот дело и сделано. Руля нет. Его близких
придурков тоже. Марк может спать спокойно до
следующего наезда... А наезжать на бензиново-
го босса будут еще не раз. Но, как народ уже
успел убедиться, наехать-то наедут, а вот после
ответных визитов почему-то долго не живут.

Глава двенадцатая

Я подготовился к дороге насколько смог. С машинами мы решили пока отложить все вопросы. В стране начался настоящий металлический бум. Этакое эльдорадо на металлоломе.

Я и Серега поездом укатили на Урал. Но поездка прошла безрезультатно. Отчасти, конечно. Уральские заводы уже плотно накрыли братки из Москвы, да и своих хищников там хватает. С директорами заводов ни о чем договориться уже невозможно. Поэтому вернулись обратно с пустыми руками. Ничего страшного, будет металл и у нас.

Половина моей бригады сейчас рыскает по городу и области, вынюхивая реальные места с медью и прочим дерьмом. Наши подопечные коммерсанты в порядке, и дело процветает. Хватает, конечно, мелких вопросов и стычек, но это решают теперь сами бойцы. Я вмешиваюсь редко, только когда возникают непонятки на поделенных территориях. Волков в Питере значительно прибавилось, и народ шмаляет почти ежедневно. «Стрелки» между командами становятся все более кровавыми. Такая тенденция вряд ли кого устраивает, но поделать с этим пока нечего нельзя.

Я перебрался из своей квартиры в более спокойное место, нежели центр города. Кстати, за квартиры сейчас также идет мясорубка. Цены на жилье подскочили до астрономических сумм. Но я в те дела не лезу. Мне не интересно. У нас, правда, есть под контролем два агентства недвижимости, но мы это дело не форсируем. Я купил себе классный коттедж за городом. Место очень тихое, малолюдное, а главное, у меня хватает теперь жизненного пространства. Я не о доме, который больше пятисот квадратов: заборчик у меня огораживает два гектара земли. И не просто земли. Есть хороший сад и даже нечто вроде небольшого парка, где растут сосны и ели. Этот дом строил себе один еврейчик, руководивший у нас в Питере неким оборонным заводом. Не знаю, чего он там наворовал, но, видимо, решил, что хватит искушать судьбу, и свинтил по-тихому за бугор. Дом я купил по дешевке, чем теперь и доволен. Вначале я думал вообще закопать еврея, но, поговорив с ним, передумал. Этот хитрый живчик, которому перевалило за полтинник, оказался неплохим парнем. Уехал он свободно и, кстати, не без моей помощи.

Я использовал кое-какие хорошие связи во власти, иначе еврею, руководившему оборонным предприятием, было бы практически не выбраться. За это хозяин дома скинул мне цену вполовину, так что я заплатил лишь за материалы, за строительство да за обстановку в доме. Есть у меня теперь и квартирка в городе, в совсем не престижном районе. Сегодня с утра я как раз в ней и просыпаюсь.

Сегодня у меня выходной и никаких, к чертям, дел. Хочу найти себе какую-нибудь нормальную телку. Что значит нормальную? А то и значит, что не шлюху и не беззаветную блядь.

Одеваюсь в джинсовый костюм и белую рубашку. Никаких драгоценных наворотов. Мне хочется найти девчонку, которая останется со мной не из-за денег. Мою «БМВ» отогнали в коттедж, и я чешу по улице пешком. Не в смысле, что без ботинок, а в общем и так все ясно.

Озерки недалеко. Середина лета, и жара стоит невыносимая. Даже не жара, а питерская влажная духота. Серега хотел мне приставить пастухов, но я заверил его, что если увижу машину охраны, вид он будет иметь совсем несчастный. Серега посмеялся, но мне поверил. Никаких машин сопровождения не обнаруживаю.

Черт побери! Давно ли я так гулял?! Вышвырнув окурок на пыльную обочину, запрыгиваю в трамвай. Это что-то! Транспорт, твою мать! Трамвай почти пустой. На лето полгорода сваливает на хер за озоном в область. Разводят огурцы и балдеют на природе. В городе остается уж совсем неимущая толпа или заядлые горожане вроде меня. На первом озере народу — не продохнуть. Нужно смотреть в оба, чтобы на ходу не наступить кому-нибудь на голову или на какие другие места. Я хочу искупаться, а затем следовать дальше. Даже не верится самому, что можно вот так взять и беззаботно отдыхать, забыв обо всем. С великим трудом нахожу себе кусочек свободного от тел и шмоток пространства. Раздеваюсь до плавок. Вхожу в воду и ныряю. Вода нагрелась, словно парное молоко. Просто мокро, но не охлаждает. Наверное, стоит все-таки выбраться за город, а может, даже слетать на море. Неплохая, кстати, идея!

Больше получаса провожу в воде. Затем, выбравшись на берег, отдыхаю, не присаживаясь. Народ загорает, курит, глушит пиво. Из озерной мутной воды торчат сотни людских голов. Дети играют на песке рядом с водой. Как бы хреново в нашей стране не было, но жизнь продолжается, и это радует.

Одеваюсь и на выходе покупаю себе мороженое. Многоголосый пляжный гвалт остается далеко позади. «Вспомни-ка, Антоныч, когда ты в последний раз ел вот так мороженое...» — усмехаюсь я про себя.

Иду пешком в сторону Удельной. Что-то на меня накатывает. Идея! Просто ошалеть можно, какие мысли приходят мне в этот день... Ловлю такси и еду в центр. Покупаю билет в Эрмитаж.

Я был в этом музее еще маленьким. Брожу по залам, с интересом присматриваясь ко всему. И ведь действительно, именно сейчас мне все здесь интересно. Толпы туристов прячутся от духоты и зноя в прохладе музейных залов. Прямо из Эрмитажа направляюсь в Русский музей. Еще только три часа, и телку вечером я себе все равно найду. Почему бы и не предаться пока созерцанию того, что действительно красиво.

Картины, которые мы в самом начале своей деятельности в городе грабанули у коллекционера, я спрятал в своем доме, решив, что русское должно оставаться в России. Впрочем, фламандцев это не коснулось.

Хожу по залам и с удовлетворением отмечаю, что вот такой у меня художник в подлиннике есть, и другой тоже. Наверное, это уже чувство коллекционера, собирающего краденые вещи...

Из Русского музея иду к Невскому.

От скверика возле памятника, где фотографируются туристы, смотрю в сторону проспекта и передумываю идти в людскую суету главной артерии города. Чего я там не видел? Асфальт — и духота! Направляюсь к каналу Грибоедова. Интересно, когда же все-таки снимут леса со Спаса на Крови? Тут реставрация ведется вроде как двадцать лет. Н-да...

После Эрмитажа и Русского музея выставленные на продажу туристам картины юных мазил не то что не смотрятся, но никак не воспринимаются, ни глазом, ни душой. Я не художник и не искусствовед, но и мне понятно, что точность выписанных домов, пейзажная или наоборот, черт поймешь с какой стороны нужно на это смотреть, не может претендовать на звание творения. Тяп, ляп, лишь бы была картинка на продажу. Таким натуралистам лучше было бы взять фотоаппарат, а фантазии на тему хрен поймешь чего разрешить малевать на холсте своей собаке. Нет в этих работах души, и ничего не поделаешь. Мне кажется, в картине не важен замысел, работать без сердца и чувства — все равно что построить сортир без очка. Вроде и красиво, а облегчиться невозможно.

Иду дальше и забредаю в Летний сад. Здесь, под сенью высоких деревьев, уютно и прохладно. Это творение Петра было основано еще в тысяча семьсот четвертом году, у истока речки Безымянный Ерик. Теперь же это Фонтанка. Назывался сад «Летним дворцом царя». Но сам Петр в шутку именовал его «огородом». У наших дачников таких огородов никак не предвидится. Именно здесь, в будущем Летнем саду, впервые в России были устроены фонтаны. Петр мечтал, чтобы его творение затмило своей пышностью все существующие дворы в Европе. Мраморные скульптуры заказывались в Италии. Со всей России сюда свозились редкие породы деревьев и всевозможные сорта цветов. Сам Летний дворец Петра Первого закрыт, и я захожу в Кофейный домик, на небольшую выставку народного творчества. Этот павильон называют еще и павильоном Росси.

Наконец я немного устал. Присаживаюсь на скамейку перекурить. Бездумно дымлю, глядя, как по Фонтанке проходят небольшие частные катера, обслуживающие туристов. Возникает мысль прикупить себе катерок. Хороший катерок, чтобы в нем было не меньше трех кают. Мысль ценная, и стоит ее воплотить в жизнь. Можно тогда смотаться и на Ладогу порыбачить. Удивляюсь, какие мирные мысли приходят мне в голову...

Выбросив в воду сигарету и прикрыв глаза, откидываюсь на спинку скамейки. Ветерок от канала приятно освежает, и хочется подремать.

— Извините, — слышу чей-то мужской голос.

Открываю глаза. Передо мной два молодых мента. Патрульные. Во мне совершенно ничего не колыхнулось. Невозможны в такой чудесный день даже мелкие неприятности.

— Слушаю вас, сержант, — отвечаю я лениво.

— Извините, — повторяет мент. — Вы не угостите сигаретой?

— Без проблем.

Угощаю милиционеров табаком. Те благодарят и идут своей дорогой. Я вновь пытаюсь подремать.

— Извините, — на этот раз голос принадлежит девушке.

Смотрю на нее: молодая коза в коротенькой юбчонке и с симпатичной фигуркой. Крашена, и взгляд блядский. Я остаюсь сидеть. Лень встречать таких дам стоя. У нее работа такая, чтобы не мужик вставал, а у него... Ночных бабочек узнаю за версту. Эту девчонку можно трахать, но, опять же, без души и за бабки. Такое мне не подходит.

— Ты о чем, малышка? — улыбаюсь ей.

Девушка улыбается в ответ и присаживается на скамейку боком. Я так и остаюсь в положении легкого развала. Я сейчас очень добрый и выслушаю спокойно даже нашего главного мента, и мне не захочется вогнать ему в башню маслину. Такой вот у меня выходной день...

— Вы не могли бы угостить меня сигаретой? — просит девушка.

Интересно, почему я похож на табачную фабрику? Девчонка ведет себя слишком скованно, но я на такое дело не клюну. Свою невинность она сохраняла лет до пятнадцати. Достаю сигареты, и приходится поменять положение, чтобы дать девушке прикурить. Закуриваю и сам.

— С «котом» работаешь? — интересуюсь у нее дружелюбно.

Она нисколько не удивляется моему вопросу.

— Угу, но у меня вообще-то это плохо получается, — признается она вдруг очень спокойно и совершенно искренне, как если бы разговаривала с подружкой. — Вы ведь, мужики, хотите трахнуть во все, что только можно... А я так не умею. Дура, наверное, старомодная...

Смеюсь от подобного признания, и она тоже.

— Хорошо здесь... — говорю я просто так.

— Ага, — тут же соглашается девушка. Она не изменила позы и курит мелкими затяжками. — Я сюда часто сейчас прихожу. Не за клиентами, конечно, для себя. Я училась в художественном училище, хотела быть знаменитой, — девушка слабо улыбается. — Вот и стала.

— Почему же не доучилась?

— Бог его знает! Нужно было на что-то жить. Я ведь детдомовская. Нас тогда рано взрослыми сделали. Меня воспитатель в одиннадцать лет трахнул. За несколько шоколадных конфет.

Смотрю на нее уже слегка другими глазами. Если она не рассказывает сказки, то передо мной еще одна раздавленная судьба. Мне искренне жаль девушку и нравится, что она умеет так вот спокойно поговорить, не тая задних мыслей. Почему-то я почти не сомневаюсь, что она говорит мне правду.

— И где теперь пашешь? — интересуюсь.

Девушка отмахивается:

— А-а... На Невском. У парфюма фирменного... Иногда в гостиницах, но это все-таки редко.

— И сколько у тебя стажа?

— Пять месяцев.

Я усмехаюсь. Девушка удивлена моей реакции.

— И что я такого сказала? — не понимает она.

— Ты, выходит, недавно ушла из института?

— Нет. Почему недавно? Я год работала продавцом, но мне там приписали недостачу и повесили долг. Я-то знаю почему. Директор хотел, чтобы я обязательно с ним переспала, а магазин там элитный, все стоит безумно дорого. Я отшила этого урода сразу и навсегда. Ну, он мне и сделал...

— Это где ты работала?

Девушка называет магазин.

— А вы сами кто, из братков? — наивно спрашивает она.

Пожимаю плечами и вдыхаю полной грудью свежий ветерок, потянувшийся с Невы.

— Я сам по себе.

— Так, наверное, лучше, — одобряет девчонка. — Пусть денег меньше, зато без проблем. Но у вас, наверное, есть где жить? Вы ведь здешний?

Я киваю.

— Тогда так и надо, — соглашается она окончательно.

Мы снова закуриваем.

— У тебя ведь такая доходная работа, а ты сигарет купить себе не можешь? — интересуюсь я.

— Ой! Вы извините меня, правда! — теряется девчонка.

— Да я не к тому, — уверяю ее. — Просто странно, что с твоей работой ты не дымишь импортные.

Девушка вздыхает:

— У меня же не такой большой процент. Зажимают. Квартира снята, ну и долги, конечно, есть. Деньги ведь у меня «кот» получает, а от него лишней копейки не дождешься. Скорее отпинает по пьяни, чтобы зря не доставала с деньгами. Видимо, судьба у меня такая. Я все надеюсь, может, попадется какой иностранец, да и увезет отсюда. Ведь бывали же такие случаи. Мне девчонки рассказывали. Ну, а если не повезет, то хотя бы веревку для себя найду.

Молчим, курим.

— Согласен, не всем в жизни фарт выпадает, — говорю я после молчания.

— Правда, — соглашается она. — Тебе ведь тоже, наверное, не сладко... Я же вижу, вон какой у тебя костюмчик древний.

Это точно. Джинсуху я у Сереги взял, не хотелось надевать новое. В новом себя не так чувствуешь.

— Подумаешь, — неопределенно говорю я, как бы сам для себя.

— На заводе работаешь? — участливо интересуется девчонка.

— С чего ты взяла?

— А сигареты у тебя рабочие.

Сигареты я специально сменил на этот день.

— На заводе, — вру я, тяжело вздохнув. — Варилой, на Кировском.

— Это как это, «варилой»? — не понимает она.

— Сварщиком! — смеюсь я. — Нам деньги уже три месяца не платят, гады...

Девчонка почему-то хохочет

— Смешной ты! — улыбается она. — Если хочешь, приходи сюда завтра. Ты не подумай, я не для того. Просто посидим, поболтаем. У меня это время дня свободное. Я тебя такими сигаретами угощу, закачаешься! — Она вздыхает. — Ну вот, поговорили. Пойду я. Скоро на вахту.

Она поднимается, встаю и я.

— Удачи тебе, — говорю ей на прощанье. — А завтра, может, и увидимся. Я тоже люблю гулять. Нас сейчас в отпуск за свой счет распустили на две недели. Это чтобы вообще не платить.

— Ну, ты не расстраивайся, — утешает она и быстро поправляет мне воротник рубашки. — Найдешь себе работу получше, а там, глядишь, и детишек заведешь.

— Так есть уже, — улыбаюсь ей.

— Правда? — восклицает она. — Сколько?

— Один пока.

— Здорово! Не сомневаюсь, что и жена у тебя красивая! А ты говоришь, что все так плохо! Я знаешь как мечтала завести детей! Чтоб много было! И я бы их никогда не обижала, как нас в детдоме... Детям любовь нужна, ласка... Ну, так ты если будешь завтра где-то рядом, приходи сюда. У меня ты вроде как безличный друг получаешься...

— А тебя как зовут?

— Не важно, — отмахивается она. — У шлюх нет имени... Ну, я побежала?

Улыбнувшись мне еще раз, она уходит по дорожке. Смотрю ей вслед. Шагов через десять она оборачивается и машет мне рукой. Отвечаю ей тем же.

Падаю снова на скамейку. Что там говорить, тронула меня эта девчонка. День проходит, но это не заметно. Все еще светло, и солнце может жарить часов до девяти вечера, если не натянет облаков.

Посидев еще немного, решаю сходить куда-нибудь поесть. Бреду в центр через Михайловский сад. Всюду гуляет народ. На газонах сидят парочки и компании молодняка. Несколько человек играют в волейбол, и я, продолжая идти, засматриваюсь на прыгающую за мячом девушку. Спотыкаюсь и падаю на землю. Сгруппировавшись, приземляюсь правильно, но головой втыкаюсь в чьи-то ноги и сбиваю собой еще кого-то. Вижу, как порхает юбка, и женская туфля попадает мне в лоб. Вот тебе и раз!

Я уже на ногах, а на газоне на пятой точке сидит удивленная девчонка. Сумочка у нее улетела в одну сторону, а небольшая книжка карманного формата в другую.

— Извините, — потираю ушибленный лоб. — Я не хотел вас обидеть.

Мне кисло улыбаются. Подаю девушке руку и поднимаю ее на ноги. Подбираю с песчаной дорожки ее сумочку и книжку.

— Я так испугалась, — признается она, приходя в себя.

Я подаю ей вещи. Книга — сборник Петрарки. Мы разговорились и идем по саду. Девчонка ничем особенно не выделяется. Фигура у нее неплохая и лицо простое, но в то же время притягивающее взгляд правильностью черт. Девушку зовут Катя, и она перешла на третий курс филфака университета. Катя любит поэзию. Когда-то я читал немало. Особенно на зоне глотал все подряд. Так что у нас с Катей есть о чем поговорить. Гуляем мы долго и не замечаем, как пролетают два часа...

Девушка живет в центре, недалеко от Литейного проспекта. Но, как она говорит, дома ей скучно, там повседневный быт и стенания родителей об отсутствии надлежащих доходов, все это гонит ее из дома.

Мне в общем-то понятны мысли ее родичей, но об этом я молчу. У Кати пока еще свой, не совсем реальный мир, и не стоит его тревожить идиотскими поучениями. Вместо этого предлагаю ей поужинать со мной в ресторане или сходить в клуб и потанцевать на ночь глядя. Катя недолго думая соглашается. Мы едем в ресторан. Ужин затягивается. Мне уже надоело слушать рассуждения Кати о жизни, которой она не знает, и внутренне усмехаться ее наивности. По сравнению с той девушкой, которую я встретил в Летнем саду, Катя вообще ни черта не рубит в том, что творится в этом мире. Старые поэты ей тех знаний не дадут. Мы гуляем по городу, по набережным. Катя слегка захмелела от выпитого шампанского и читает мне наизусть стихи. Потом мы долго целуемся на гранитных ступенях, ведущих к воде потемневшей Невы.

Везу Катю на такси к себе на Гражданку. Она замерла, прижавшись ко мне, и ей, судя по всему, хорошо. Я же думаю сейчас о той, которая пашет в эту ночь на «кота», и мне делается чертовски грустно. Пытаюсь себя развеселить, и вроде это слегка получается.

В постели Катя такой же романтик. С ней неинтересно. В Кате нет азарта. Может, она и счастлива сейчас подо мной, когда я работаю на совесть, но, по сути, мне плевать на эту книжную дурочку. Дожидаюсь, когда девушка в сладкой истоме засыпает у меня на плече. Тихо выбираюсь из кровати и курю на кухне. Гляжу в июльские сумерки и думаю о другой.

Глава тринадцатая

С утра пораньше, пока Катя еще спит, я отзвонился всем своим и предупредил, что буду отдыхать. Беру, так сказать, отпуск. Я его заслужил. Пацаны не возражают. Готовлю завтрак из яичницы с ветчиной и бужу Катю. После завтрака, как я ей обещал, мы едем в Петродворец на метеоре. Катя звонила домой и предупредила родителей, что будет только вечером.

К четырем возвращаемся в город. Отвожу Катю на такси к ней домой. Она, наверное, ожидала от меня нового приглашения и продолжения нашего романа, но на фиг мне это нужно? Я, конечно, пообещал ей звонить и даже дал свой телефон, хотя вряд ли она по нему сможет дозвониться. Девушка огорчена, но такова жизнь — се ля ви!

Спешу в Летний сад. У меня ведь назначено свидание с... Неважно. Свидание с девушкой. Настоящей девушкой, и уверен, не ошибусь, если так скажу. Она ждет меня на той же скамейке и, уже издали увидев, весело машет мне рукой. Подхожу, сдержанно здороваюсь. Я ей рад; вижу, что она мне тоже.

— Как у тебя? — интересуется девушка. — Все в порядке?

— Норма, — киваю я. — А у тебя?

— Сейчас! — улыбаясь, она лезет в сумочку и достает американские сигареты. — Вот, угощайся.

Закуриваем. Сигаретки тонкие, конечно же дамские, но это не важно. Смотрим на воды канала.

— Как у тебя-то? — повторяю я свой вопрос.

— Да так, ничего, — кивает она. — Не хорошо и не плохо. Вчера после работы мой сутенер, правда, слегка попинал меня ногами, но это все ерунда. Главное, он никогда не бьет по лицу. Ну, чтоб товарный вид был в порядке, — невесело усмехается она.

— Слушай, — не выдерживаю я. — Давай, пойдем и я ему при тебе башку отверну!

— Да ты что?! — чуть не подпрыгивает она на месте. — У тебя семья! Ты даже и не думай об этом! Они знаешь какие? Убьют и не поморщатся! Спасибо тебе, конечно, но не лезь в это дело, оно не для тебя, и я тебя об этом прошу! Дура я, что такое тебе сказала, ты ведь парень вроде честный, не лезь! — Она успокаивается и устало откидывается на спинку скамейки. — Хорошо здесь! — меняет девушка тему, как ни в чем не бывало. — Правда?!

— Точно, — хмуро соглашаюсь с ней.

Молчим, курим. Затем девушка рассказывает мне какие-то смешные истории, которые совершенно не касаются ее работы. Это все взято из детства и из короткой студенческой жизни. Время пролетает быстро. С удовольствием отмечаю про себя, что мне не хотелось бы, чтобы эта девушка куда-то уходила. Тем более на свою барщину. Но сказать ей об этом я не могу. Она пока не поймет.

— Пора мне, — вдруг говорит она. — Спасибо тебе, что нашел время и для меня.

— Да ладно тебе.

— Нет, ну правда, спасибо. Знаешь, я тут... — она лезет в сумочку и вытаскивает сто долларов. — Ты только ничего не говори! — тут же приказывает она, видя мой взгляд. — Это не то, о чем ты думаешь. Понимаешь... Я просто прошу... Ты купи своему ребенку что-нибудь и от меня. Жене купи. Поешьте там... Я ведь знаешь, как сама в ресторанах питаюсь! Да тебе такое и не снилось! — Она быстро сует мне доллары в карман куртки. — Все. Я побежала... — слабая улыбка, хлопок длинных ресниц — и тонкие каблучки зацокали по каменным плиткам. Распахнулись пышными крыльями мягкие, пушистые волосы над тонкими плечами. Отбежав, она обернулась, чтобы помахать мне рукой.

— Прощай, «варила»! — кричит она и убегает.

Валюсь на скамейку. Что за дерьмо, твою мать, происходит?! Достаю из кармана сто долларов, подаренные мне девушкой. Разглаживаю купюру на колене. Девчонка даже сигареты оставила на скамейке. И самое сейчас главное, я уверен, она больше не придет. А значит, я ее уже не увижу. Курю ее сигареты. Нет, так дело не пойдет. Какие там вонючие сутенеры? Смешно даже о них серьезно говорить! Вылетаю из сада и ловлю такси. Несемся на Гражданку. Быстро переодеваюсь, принимая свой повседневный облик. Еду в офис к Марку. Народ еще здесь. Беру парней, и валим на Невский. Со мной идут три машины с бойцами. Заруливаем в переулок. Здесь дежурят те сутенеры, о которых говорила моя новая знакомая, и чуть в стороне стоят несколько машин с девчонками. Вот здесь их и выбирают...

Выхожу из «БМВ», движением пальца подзываю к себе «кота». Он уже и так уяснил, какие люди к ним пожаловали, и четко знает, что медлить здесь нельзя.

— Где твои девчонки? — интересуюсь.

К нам подходят еще двое сутенеров.

— Сейчас будут! — кивает один из них. — Вон там, в тачках. Выбирайте. А вам сколько надо?

Не отвечаю на вопрос. Двое «котов» уже спешат к машинам, чтобы выгнать девочек наружу и построить. Вижу среди них и ту, за которой я, собственно, приехал. Она сначала меня не узнает, мазнув безразличным взглядом, но вот девушка что-то увидела и вновь поднимает на меня глаза. Они у нее раскрываются широко, медленно и до невероятных размеров.

— Вот эта... — киваю на нее.

Мне нужно выяснить, кто у нее «котяра». Ко мне подходит довольно рослый парень, который торчал до этого слегка в стороне.

— Полтаха, — хмуро называет он цену.

Некоторое время смотрю на него молча, затем от души прикладываю парню в челюсть. «Котяра» улетает на асфальт. Его дружки замирают в нерешительности. В этот момент стоящие поодаль наши две тачки вылетают на улицу и резко тормозят рядом с нами. Из машин высыпают боевики. Мои парни мгновенно загораживают собой все пространство около меня. Сутенеры охренели от страха и жалко притираются друг к другу.

— Антоныч, — представляюсь я.

Лица парней, и без того вытянутые, смертельно бледнеют. На джинсах одного из них начинает проступать мокрое пятно. Парень обоссался только от того, что ему стало известно, кто я есть. Репутация в городе у меня еще та...

— Я... — пробует лепетать «кот». — Мы...

— Заткнись! — спокойно говорю ему. — Вот этого уберите отсюда... — киваю своим на вырубленного мною «кота». — Это был твой? — улыбнувшись, спрашиваю у своей знакомой. Она не может сказать в ответ ни слова и лишь кивает головой.

— Пойдем со мной, — прошу ее. — Я хочу, чтобы ты с сегодняшнего дня никогда не выходила на улицу в подобном качестве.

Девчонка только кивает, не сводя с меня изумленных глаз.

Везу ее к себе в коттедж. Всю дорогу она просидела, прижавшись ко мне, на заднем сиденье «БМВ». Я обнял ее и тоже молчал. Слов пока и не надо. Уже перед самым домом она все-таки спросила, не поднимая головы:

— А что будет с тем? — она имеет в виду своего бывшего «кота».

— Ты его больше никогда не увидишь.

Девушка немного помолчала.

— А ты на самом деле тот Антоныч?

— На самом. Но о моих делах тебе знать совсем не нужно, — улыбаюсь я.

— Не могу в это поверить, — она вновь утыкается мне лицом в пиджак.

Мою новую знакомую зовут Сюзанна. Не знаю, насколько точно имена соответствуют своим владельцам, но этой девушке ее имя очень идет. Оно мне так же приятно, как и она сама. Показываю Сюзанне дом, в котором она, если захочет, будет жить. Не знаю в каком качестве, пусть решит сама. Я лично ее не выгоню ни под каким предлогом. Так ей об этом и говорю. На лице девушки отражается вся гамма чувств, от недоверия до восхищения. Я понимаю, что ей сейчас трудно во все сразу поверить, но она к этому скоро привыкнет.

Гуляем по моему парку, пока нам готовят ужин.

— Антоныч... — неуверенно начинает Сюзанна, держа меня за руку. — А вот то, что ты говорил о своем ребенке...

— Я все придумал, — сознаюсь со смехом и достаю сто долларов, — но вот эту бумажку я обязательно сохраню!

Девушка улыбается и еще крепче прижимается ко мне.

У Сюзанны своя спальня, и два дня я даже не пытаюсь форсировать наши отношения. Зато развлекаемся мы с ней, как нам этого хочется. Я купил катер на три каюты. Обязательно отправимся на нем чуть позже куда-нибудь на Ладогу. Буквально в течение дня по моей просьбе сделали водительское удостоверение для Сюзанны, или Сюзи, как я ее называю теперь, чтоб было короче. У девушки сейчас есть свой джип «ниссан пэтроль», и она просто в восторге от такого подарка. Она не может отойти от машины ни на секунду. Сюзанна еще не умеет ездить, но усердно учится этому все свободное время.

Пацаны мне лишь отзваниваются, чтобы держать в курсе наших текущих дел, но никаких серьезных решений я не принимаю, позволив ребятам самим заниматься всеми делами.

Мой катер больше похож на небольшой кораблик, и поэтому на него нужно подобрать команду. Этим сейчас Миша и занимается. Пока все будет решаться, я думаю свалить из города. Билеты куплены, и мы днем вылетаем с Сюзанной в Сочи.

Народу на побережье достаточно, но не так много, как это было в доперестроечные годы. Мне был забронирован люкс, и уже вечером того же дня мы обживаемся на берегу Черного моря.

— Я здесь не была никогда в жизни, только видела в кино да на открытках! — восхищается Сюзанна вечерним Сочи.

Гуляем по набережной, плаваем наперегонки по лунной дорожке. Ужинаем в ресторане. В номер возвращаемся усталые и довольные.

— Почему ты меня не трогаешь? — спрашивает девушка, нежно прильнув к моему плечу. — Я тебе противна?

Поглаживаю ее пушистые волосы, вдыхаю тонкий аромат французских духов.

— Глупости! Никогда больше так не говори! Ты ведь для меня теперь очень дорогой человек, и я хочу, чтобы ты это поняла и привыкла ко мне, — объясняю я, мягко держа девушку за плечи и всматриваясь в ее большие красивые глаза. — Для тебя так даже будет лучше.

— Я все поняла, Антоныч. Спасибо, — шепчет она.

У девушки очень мягкое дыхание, и меня оно волнует. Я провожаю ее до спальни. Сегодняшний день был у нас слишком насыщенным, и у меня самого уже слипаются глаза. Приняв душ, падаю на кровать и тут же проваливаюсь в сон без сновидений.

Глава четырнадцатая

Позавтракав, гуляем по Сочи. Сюзанна как ребенок восхищается всем увиденным. Мне приятно, что она идет рядом со мной. Мужики оборачиваются, завистливо разглядывая фигурку моей девушки. Ноги Сюзи пробьют своей сексуальностью любого мужика, даже если у него не стоит уже десять лет.

С трех дня загораем на пляже, а к вечеру идем в ресторан. Мы пробыли в кабаке недолго, как ко мне подошел метрдотель и почтительно произнес почти в ухо:

— Вас просят к телефону.

Тут даже я изумлен. Кто может знать, что я ужинаю именно здесь? Даже мои парни не знали, куда я отправился. Выходит, это должен быть только тот человек, кто за мной следит или случайно увидел меня в Сочи.

— Вы уверены, что спрашивают именно меня? — в свою очередь интересуюсь у метра.

— Если вы Антоныч, то именно вас, — заверяет он даже несколько обиженно. Метр уверен, что в своем ресторане он ошибок не сделает.

Попросив Сюзанну посидеть минутку в одиночестве, иду к бару, где меня ждет снятая телефонная трубка.

— Да.

— Антоныч? — голос мне не знаком.

— С кем я говорю?

— Неважно. Сваливай отсюда, и вообще с моря. Тебя заказали! Ты меня слышал?

Трубку бросают без дальнейших пояснений. На шутку это никак не похоже. Кто бы стал так шутить со мной? Неизвестный благожелатель сообщил, что на меня сделан «заказ». То есть кто-то очень хочет моей смерти и нанимает для этого убийц, или, как теперь модно стало говорить, киллеров, что, впрочем, сути не меняет.

Возвращаюсь в зал ресторана, уже по-новому оценивая обстановку. Вглядываюсь в посетителей. Самое паршивое — это то, что у меня с собой нет оружия. Терраса ресторана выходит в море, и в той стороне нет никаких достаточно высоких точек, откуда мог бы работать по мне снайпер. Подхожу к столику.

— Что-то случилось? — тревожится Сюзанна.

— Не совсем так, но нам лучше будет уйти. Похоже, наш отпуск ненадолго прерывается, — говорю ей серьезно.

— Хорошо, — тут же соглашается девушка и начинает собираться.

Расплачиваюсь за столик, и мы идем на выход, но не к парадным дверям, а к тем, что ведут в кухню заведения.

Метр видит мой маневр, но благоразумно молчит. Он скорее всего понял, что неожиданный звонок для меня был слишком неприятен, и никак не мешает нашему маневру.

Выходим на улицу через кухню. Я тут же увожу Сюзанну подальше от фонарей, в темноту. Пока все идет спокойно. Но, к сожалению, выходов или выездов от того места, где находится ресторан, только два. Звонить мог и сам киллер, чтобы выманить меня из кабака. Эта мысль пришла мне в голову сразу, как только я положил трубку.

Помогаю девушке перебраться через невысокий забор и запрыгиваю на него сам. Именно в этот момент рядом ударяет первая пуля, выбивая из забора каменную пыль. Еще две поют возле моей головы. «Хреново стреляешь, сука», — оцениваю про себя ситуацию, перекидываясь на другую сторону. Вроде бы меня не зацепило.

— Это стреляли по нам?! — ужасается Сюзанна.

— Злые сторожа, — отвечаю я, высматривая, куда нам бежать. — За мной, малыш! —

командую ей. — Сейчас начинается самое интересное...

Несемся к кустарнику. Я все время оглядываюсь, прикрывая Сюзанне спину. В нее ничего попасть не должно. Наконец, замечаю, как через удаляющийся от нас забор перебираются две темные фигурки.

— Присядь вот здесь! — говорю девушке, показывая, где ей нужно укрыться. У нее предательски светлые волосы.

Сюзанна послушно присаживается за кустами. Отхожу от нее и крадусь чуть левее. Убийцы ошиблись направлением и слегка забирают в сторону. Быстро наклонившись к земле, поднимаю мягкий ком и тут же измазываю землей себе лицо и руки. Вроде сойдет для экспромта.

Предельно осторожно двигаюсь в сторону киллеров. Они медленно и аккуратно продвигаются вперед. Хорошо, что у мальчиков нет ПНВ, тогда бы нам хана.

Расстояние сократилось. Нащупываю на земле камень. Два быстрых шага вперед — и булыжник уже в полете. Один из киллеров полуобернулся на звук, но не успел среагировать, и булыжник смачно ударил его в голову. В прыжке подхватываю выпавший на землю у киллера большой черный пистолет и, еще не успев прицелиться, стреляю во второго. Тихие хлопки глушителя — и второй типчик заваливается в кусты. Подбегаю к нему. Готов. Обыскиваю карманы комбинезона и нахожу только запасные обоймы к пистолету. Забираю их себе и его пушку тоже. Возвращаюсь к недобитому. Он без сознания, но еще дышит. У киллеров имеются наушники на голове, подключенные к рациям. Небольшой микрофон возле рта. Вынимаю из уха парня наушник и слушаю.

— Ну вы где там, бля?! — шипит в рации. — Сюда еще никто не выходил!

— И не выйдет! — еле слышно говорю в микрофон. — Не вопи там, скоро подойдем!

— Сразу мог бы сказать! — гоношится невидимый абонент. — Ладно, давайте там быстрее. Мы будем на дороге.

Забираю рацию и спешу к Сюзанне. Она терпеливо ждет меня на том же месте, где я ее и оставил. Пальцем делаю знак, чтобы молчала, показывая на рацию у себя в руке. Девушка кивает. Она боится отчаянно, но ведет себя достойно и в истерику не впадает. Отличная у меня девчонка, черт бы их всех побрал!

Пробираемся садами, вновь лезем через забор. Прямо за ним узкая дорога, и на той стороне обрывистый каменистый склон.

— Да где вы там?! — опять тот же нетерпеливый голос в наушниках.

— Сами-то вы где? — хриплю я, возмущаясь.

Мой голос опознан как свой. Уже лучше. Киллеров, выходит, была целая бригада.

— Вы на нас его гнали! Бери левее! — ориентируют меня. — Я фарами сейчас моргну!

Жду. Левее — это куда? Хрен его знает... Сюзанна затаилась, прижавшись в темноте к забору. Впереди слева от меня в кромешной темноте два раза моргает свет машины. Прикидываю расстояние и то, как я смогу незаметно подобраться к тачке. По самому склону нельзя, посыпятся камни из-под ног. Остается только один выход — через сады.

— Видим! — хриплю в рацию. — Далеко забрались. Сейчас будем...

Выключаю рацию, подхожу к Сюзанне, обнимаю ее.

— Ну, а теперь как получится, — улыбаюсь ей. — Вот, возьми на всякий случай пистолет. Если меня долго не будет и фары этой машины, — киваю в темноту, — начнут приближаться сюда, быстро перебирайся через забор назад. И за мной не ходи. Значит, все бесполезно. Если же смогу взять ту машину, значит, подъеду и остановлюсь здесь. Я позову тебя. Понятно?

Сюзанна, всхлипнув, хочет уткнуться мне в грудь, но я ее мягко отстраняю. Не время. Перемахиваю через забор и шпарю садами в сторону машины киллеров...

Наконец я их вижу. Двое мужчин, одетые в темные комбинезоны, как и их приятели, стоят возле капота «Волги». У одного из них в руке есть оружие, у второго ничего нет. Вскинув «беретту», прицеливаюсь. На целике и мушке пистолета имеются фосфоресцирующие точки для стрельбы в сумерках и темноте. Хлопок, еще один — парень заваливается на бок, роняя оружие. Второй хотел дернуться, но я останавливаю его резким окриком.

— Выйди на середину дороги! — приказываю ему.

Он подчиняется. Держит руки в стороны так, чтобы я их видел.

Подхожу к нему, всматриваюсь в незнакомое лицо.

— Кто оплачивает вашу работу? — интересуюсь у него.

— Я не знаю, — хмуро отвечает он. — С посредником вон тот общался, — он кивает на убитого мной напарника.

Вполне приличная версия, которую проверять мне сейчас некогда.

— Кто еще, кроме вас, на «охоте»?

— Других, насколько я знаю, нет.

Хлопок, и мужик валится в пыль дороги. Оттаскиваю обоих к краю обочины и, заведя двигатель, еду за Сюзанной. Девушка, как я ей и говорил, уже успела перелезть через забор. Выхожу из машины и тихо зову ее. Помогаю перебраться на дорогу и еду по тому маршруту, который наметил себе.

На следующий день мы уже в Питере. Еду сразу к Чахлому.

— Значит, «заказ» на тебя есть? — повторяет старый вор мои слова. — Врагов-то у тебя, паря, слишком много...

— А у кого их нет? — удивляюсь я.

— Вот и я об этом, — туманно говорит Чахлый. — Ладно, Антоныч, не парься. Езжай домой, а я постараюсь узнать за тебя. Кто-нибудь из людей да скажет...

Наотдыхался я, можно сказать, дальше некуда. Собираю своих пацанов и рассказываю им, что произошло в Сочи.

— Есть какие-то мысли, Антоныч? — обеспокоен Серега.

— Без понятия, — честно отвечаю я.

— Может, это все-таки Семен подстроил? — выносит свое предложение Костик.

— А что? Точно! — поддерживает его Джонни. — Он будет уверен, что на него ты как раз и не подумаешь, так как ваше соглашение выполняется.

Наверное, в словах Джонни есть здравая мысль.

— Посмотрим, что там накопает Чахлый, — говорю я.

— Не нравится мне все это, — бурчит Серега себе под нос. — Не верю я и Чахлому...

— Да у него-то какой интерес? — удивляется Костик.

— А такой: между прочим, у Чахлого тоже свои людишки имеются, и он не меньше нашего занимается бизнесом.

Вот этого я не знал.

— Откуда тебе это известно? — спрашиваю Серого.

— Известно. Я ж не просто нашими делами занимаюсь без башки. — Серега закуривает. — Мне на той неделе парни из Валеркиного звена рассказали. Они пробивали одного лоха в Гатчине, на него заправка оформлена, а им заявили, что это АЗС Чахлого. Пацаны стрелу забили, и приехал Шмен. Ну а Шмен, ясный хрен, человек Чахлого.

То, что Шмен действительно работает на положенца, я в курсе. Но то, что у них есть бензозаправка, одна или больше, мне до сих пор не было известно.

Оставляю парней и ухожу в другую комнату позвонить. Связываюсь с Вором из Красноярска, объясняю ему свои подозрения и спрашиваю, как можно узнать, не интересовался ли Чахлый насчет меня у серьезных людей в Москве. Мне обещают это выяснить. Иду к ребятам, и мы возвращаемся к нашим повседневным делам. То, как мы начали поиски металла, результатов не дало.

— Есть пока мелкие варианты, — говорит Джонни. — В основном медный провод и кабель.

— Нужно собрать, — киваю ему.

— У меня есть два покупателя в Таллине, — сообщает Костик. — Цену нормальную дают.

— Кстати, то, что тянут в Эстонию, можно отбомбить, — предлагает Серега. — Мы уже «пробили», где везут медь нелегально.

— Отлично, — одобряю его идею. — Вот этим и займись.

— Слушай, Антоныч, — говорит Костик. — Помнишь, мы насчет аптек говорили?

— Ну?

— Тут вариант имеется, опять же через прибалтов можно завозить импортное лекарство. Всякое там «Эссенциале» и прочее.

— Одна-две аптеки — это ерунда, нужна сеть. Начинай подбирать помещения по городу. Это дело стоит развернуть в ближайшее время.

— Слушай, Антоныч, — влезает Серега. — Все эти партии металлолома, оно, конечно, хорошо, прибыльно, но уж больно это не стабильно. Я согласен, что на таком деле мы парней быстро обкатаем — перестрелки там, наглости больше будет. Но... — он наливает себе стакан минеральной, — есть тут один вариантик. А если нам с алюминием попробовать?

Для меня то, о чем говорит приятель, совершенно не понятно, поэтому смотрю на него с легким удивлением:

— Ты о чем вообще-то, Серега?

— Есть один тип, он почти выкупил небольшой заводик по переплавке алюминия. Денег ему не хватает, чтобы переоборудовать производство. Он мне весь расклад и дал, что там может быть, если лить алюминий в слитки и вывозить его самим на продажу в Англию. Там через биржу и продавать. Это тема, Антоныч, я тебе отвечаю! Да и этот мужик готов под нас лечь без базара, если поможем...

— Если помогаем, мы должны иметь контрольный пакет, — соглашаюсь с ним.

— Но там денег нужно до черта. Вот в чем проблема, — мрачнеет Серега. — У нас сейчас таких бабок нет.

— Ну и на хрен тогда все это говоришь?! — возмущается Костик.

— Чтоб было! — огрызается Серега.

— Сколько там нужно? — интересуюсь я.

Сергей называет сумму. Джонни и Костик присвистывают от удивления.

— Нам столько не набрать, — уверенно заявляет Константин. — Да и неизвестно еще, что из всего этого сможет получиться.

— Нужно, чтобы там все документы посмотрел специалист, — подвожу я черту. — Если дело реальное, деньги найдем.

— В долги, что ли, лезть к кому? — недоволен, как всегда, Костик.

— Без долгов. Возьми Марка, и пусть он решит объективно, стоит ли нам браться за это дело.

Серега кивает, довольный моим решением.

Глава пятнадцатая

Ровно через три дня наша империя рухнула. Просто взяла, сволочь, и обвалилась с чьей-то паскудной помощью.

Я как будто предугадал этот момент и заранее переехал на Гражданку, в квартиру, о которой знали только очень близкие люди. Я почему-то был уверен, что если у коттеджа и устроят засаду, то только на меня. Но все вышло по-другому. Всю охрану коттеджа перебили ночью и ворвались в дом. Потом коттедж подорвали и сожгли. Сейчас там одни руины. Остался лишь забор и парк. В то же утро убили Костика, прямо в своей машине. Джонни в это время в городе не было, он поехал сопровождать жену и дочь Марка на импортные курорты. Марк отправил своих сразу же, как только ему прекратили поставки горючего с комбинатов и даже мелкие поставщики отказались продавать ему топливо. Марк успел мне поплакаться, а на следующий день его пристрелили на въезде в город. Машину Марка изрешетили из двух «акашек» так, что она выглядела словно сито.

Теперь отстреливают тех моих парней, которые ближе всего к нашей верхушке. Четыре команды, входящие в состав нашей бригады, тут же отказались, заявив, что отделяются и свои дела теперь ведут самостоятельно. Естественно, в лицо мне этого никто не сказал, иначе это были бы их последние слова. Да и многие бойцы дунули, словно крысы с тонущего корабля.

О Сюзанне я так ничего пока узнать и не смог. Она должна была в момент захвата дома находиться там. Скорее всего, ее тоже убили. Серегу пытались расстрелять возле подъезда его дома, когда он утром выходил оттуда с женой. Парень смог отстреляться, но его жена погибла. Из всех бойцов, которые были со мной раньше, остался только Михаил.

— Теперь мы уже ничем не сможем управлять, — констатирует Серега, когда мы сидим у меня в квартире на Гражданке.

Парень хмур, как питерская погода в ноябре, вот-вот начнется ураган.

— Не важно... — говорю я расхаживая по комнате. — Мы должны установить, кто решил так сурово поиграть с нами. Выяснить и отомстить. И обязательно нужно наказать побегушников. Четыре группы от нас свалили — и Миша говорит, что их до сих пор никто не тронул.

— Это точно. Я проезжал спецом по городу, смотрел, где они кучкуются. Да все суки целы!

— Раз целы, значит, сумели договориться у нас за спиной и знали обо всем заранее. Вот с этих тварей и начнем!

— Только машину нужно поменять, — соглашается со мной Серега. — Наши совсем засвечены.

— Купим «восьмерки», их теперь по городу туча мотается вроде, и неприметно будет, — советует Михаил.

Я с ним согласен. И теперь нам предстоит держаться все время вместе.

— Неплохо было бы снять дом, чтобы тачки всегда были перед глазами. В черте города, я думаю, найти сможем, — говорю парням.

— Где-нибудь в Девяткино или в Петергофе, — соглашается Сергей и поднимается, чтобы размять ноги. Подходит к окну, застывает там надолго.

Друг думает о своей погибшей жене, и мы ему не мешаем. Очень скоро мы рассчитаемся за всех.

Мне все-таки очень интересно, кто же решился на подобный шаг и смог все так быстро провернуть. Из местных бригад на это никто бы не отважился. Чтобы перекрыть нам поставки топлива, нужны сила и связи. Но гадать пока незачем. Скоро мы обо всем узнаем. Это я парням и обещаю.

Сегодня едем на одной машине. Михаил работал с Ленчиком, который сейчас неплохо обходится и без нас. Миша говорит, что тот вечером постоянно заезжает в один из ресторанов, чтобы поесть со своей братвой, и один без сопровождения заходит в кабинет директора, у которого забирает деньги за прошлый день. Именно в этот момент мы его и возьмем.

Сидим в машине, наблюдая за улицей. Парни еще раз проверяют свое оружие, снабженное глушителями. Наконец появляются две машины. Вернее, три. Одна из них белая «БМВ» — тачка Ленчика. Ждем, когда братки покинут свои машины и зайдут в ресторан. Отъезжаю от тротуара и заворачиваю с улицы во двор. Здесь есть рабочий вход в заведение. Выходим из «восьмерки», и Миша стучится в боковую дверь.

— Кто там? — недовольный женский голос.

— К Кормильцеву! Давай, открывай! — рявкаю я.

Нам открывают. Женщина неопределенного возраста смотрит с опаской.

— Вам разве... — начинает она, но я с улыбкой ее прерываю.

— Нам всегда назначено, — говорю, проходя мимо нее в коридор. Парни неторопливо тянутся за мной.

Тетка закрывает за нами дверь на засов и, что-то недовольно бурча, удаляется по своим делам. Заходим в кабинет директора. Кормильцев на месте, но Ленчика пока нет. Увидев Михаила, Кормильцев, видимо, тут же уяснил для себя, кто к нему зашел, и застыл в кресле как статуя.

Оставляю дверь слегка приоткрытой, чтобы через щелку был виден коридор. Парни быстро и без слов ищут себе укрытия в кабинете. Нам надо, чтобы Ленчик зашел сюда спокойно. Я встаю за угол шкафа.

Проходит минут десять, но никто из нас так и не произнес ни слова. Кормильцев понуро сидит за своим столом и лишь изредка косится на пистолет в моей руке. Наконец Ленчик показался в коридоре. Он идет один, как Миша и предполагал. Делаю парням знак рукой, и все затихают. Открывается дверь в кабинет.

— Ну что, Кормильцев?! — веселится Ленчик. — Чем кормишь на этот раз?

Наверное, это у Ленчика стандартная шутка. Выхожу из-за шкафа. Мои парни также появляются из своих мест. У Ленчика отвисает челюсть. Такой ужин он не предполагал.

— Спокойно, козел! — тихо говорю ему. — Едешь сейчас с нами...

Ребята выводят Ленчика в коридор. Я поворачиваюсь к директору.

— А ты, паскуда, приготовишь штраф — тридцатку бачков! Мы тебя сами найдем. Ленчика ты не видел, он к тебе больше не приедет. Надеюсь, ты в курсе, с кем ты сейчас говорил?

Кормильцев, нервно сглотнув, судорожно кивает.

Выхожу во двор, сажусь за руль. Ребята уже упаковали нашего пленника на заднее сиденье. С Ленчиком нужно поговорить основательно. Для начала Серега воодушевленно обработал Леонида на свой лад.

— Кто с тобой говорил на наш счет?! — спрашиваю Ленчика, у которого лицо уже на лицо не похоже.

— Не убивайте! — хрипит он. — Я вас не сдавал! Я только отошел в сторону...

— Ну нет, ты смотри, какая сука! — ревет Серега. — Он, падла, только в сторону отошел! А нас пусть мочат?!

Останавливаю Серегину руку. Ленчик нам еще пока нужен. Мы заехали в лесок, и вряд ли сюда кто-то сейчас забредет.

— Со мной говорил Геша. Он базарил от имени Чахлого...

Ленчик колется, а я переглядываюсь с парнями. Геша — правая рука Семена, а разговор он вел от имени положенца. Неплохая коалиция у братвы. Теперь мне ясно, кто меня заказал и почему это было сделано так непрофессионально. У Чахлого под рукой только урки, поэтому они и не смогли сработать как профи.

— Антоныч! — начинает умолять Ленчик, но я уже ухожу к машине.

Позади себя слышу короткую быструю возню, затем хрипы и бульканье. Серега, как в Афгане, своими руками перерезал Ленчику глотку. С его стороны это полное презрение к противнику. Ленчика зарезали как кролика. Он этого заслужил. Едем в город.

— С кого начнем, Антоныч? — интересуется у меня Сергей.

— С Чахлого... — уверенно заявляю я.

— Лучше было бы первым вальнуть Семена, — говорит Михаил. — Если он узнает, что грохнули Чахлого, он врубится, от кого это идет, и нам тогда его будет трудновато отыскать.

— Все верно, — соглашаюсь с ним. — Но у Чахлого больше связей и больше влияния. Он нам может гораздо больше подложить дерьма, нежели Сеня.

Ребята не спорят. Едем встречать Джонни. Они только сегодня прилетают из-за бугра, и Марка закопали в отсутствие жены и дочери.

В аэропорту народа не так и много. Я бы сказал, вообще не много. В аэропорт мы приезжаем уже на трех машинах. У Джонни семьи нет, поэтому нам легче обезопасить приятеля. Прогуливаемся по территории парковки на улице и возле здания порта. Никаких подозрительных скоплений народа, одетого в кожу и с бритыми затылками, не наблюдается, кроме, конечно, команд наперсточников.

Мы тут с Серегой вечерком раздумывали над нашим новым положением. Денег у нас практически не осталось, и все бывшие подопечные деляги теперь под усиленным контролем других команд. Так что спуск-подъем у нас получается как на лифте — быстро и эффективно.

Наконец прибывает ожидаемый нами рейс. Джонни отзванивал мне из Калифорнии, и семья

Марка, конечно, уже в курсе постигшего ее несчастья. Поэтому выражаю максимум соболезнований и, оставив женщин, отвожу Джонни в сторону. Нужно объяснить ему ситуацию до выезда из аэропорта. На весь пересказ уходит не более десяти минут.

— Ни хрена себе, Антоныч! — хмурится Женька. — Выходит, нас как последних лохов кинули?

— Это они так думают, — поправляю его. — Наша задача самая обычная: начать все с начала и сделать так, чтобы подобного больше не повторилось.

— Сделаем! — уверенно и зло кивает Джонни.

— Надо отправить теток домой. Пусть добираются сами. Тебе незачем рисковать. Им уже никто ничего не сделает.

Джон мотает головой.

— Нет, Антоныч. Я должен довезти их до дома и удостовериться, что с ними все будет в порядке.

Смотрю в сторону матери с дочкой. Дочь Марка выглядит на сто процентов, и мне понятно волнение Джонника. Похоже, у него с этой девочкой кое-что состоялось, так как студентка с фигуркой порнозвезды и личиком невинного ангелочка влюбленно посматривает в нашу сторону, и, естественно, этот взгляд не для меня.

— Смысл в чем, — пытаюсь убедить друга, — если они засекут, в каких ты отношениях с этой семьей, у наших врагов появится шанс надавить на нас через тебя. Ты это понимаешь?

Джонни хмуро смотрит в пол и с минуту молчит.

— Я не могу их оставить, — все-таки произносит он. — Вы езжайте, Антоныч, я сам разберусь.

— С чем ты разберешься?! — рычу я. — Костика с оружием прихлопнули в тачке! Серегу чуть не пришили у подъезда, он потерял жену. Мой дом вообще армия штурмовала...

— Как хочешь, Антоныч, но я должен... — упрямится приятель.

Что тут сделаешь? Хрен с ним, придется сопровождать теток до дома. За их квартирой и за загородным домом Марка наверняка установлено наблюдение. Не сомневаюсь, что за всеми местами, которые известны Семену, сейчас пасут команды боевиков.

— Хорошо, — соглашаюсь я. — Повезешь женщин на городскую квартиру. Но для начала заезжаешь с ними в ресторан. Нам потребуется время, чтобы выяснить обстановку возле их дома. Надеюсь, это ты сделаешь?

Джонни улыбается:

— О'кей, Антоныч! Поужинать нам не мешает.

Джонни берет такси, и они едут туда, куда я им сказал. Мы же катим в центр, где у Марка была куплена квартира.

Делаем два захода, медленно проезжая по набережной канала. Никаких припаркованных машин с подозрительными мордами не замечаем.

Оставляем тачки на тротуаре. Михаил остается присматривать за машиной, мы же с Серегой идем во двор. Сначала туда захожу я, через полминуты зайдет Сергей.

В колодце двора семь машин. В стареньком «Москвиче» трое парней. Значит, наблюдение все-таки есть. Парни в машине расслабились и то ли дремлют, то ли мечтают, непонятно. Захожу сбоку и, выхватив пистолет с глушителем, дырявлю стекла машины метров с трех. Мелкая крошка стекла все-таки достает мне до лица. Черт с ней. Слышу, как подбегает Серега и встает сбоку. Для его волыны работы уже нет. Подходим, чтобы удостовериться, тех ли я угрохал. Может, мальчики девочек ждали? Но нет. Все в норме. У трех жмуров в «Москвиче» имеются волыны и «калашников». Значит, работаем пока без ошибок. Уезжаем за Женькой.

— Они все теперь, бля, контролируют! — рычит Серега, когда мы заходим в ресторан.

— Ну, как ты убедился, их контроль нам пофиг, — усмехаюсь я. — Это даже и лучше. Мы их сейчас, как кур вонючих, передавим!

Серега удивленно смотрит на меня, затем расплывается в улыбке.

— Точно! Бля буду, Антоныч! — вскидывается он. — Вот это мысль!

Забираем Женьку и женщин. Объясняю дамам, что их ждет в собственном жилье. Женщины в ужасе.

— Поэтому вам придется пожить в другом месте, — сообщаю им. — Это только в ваших интересах.

Женщины не возражают. Везем их на Гражданку, в мою квартиру. Места им там хватит. Магазины рядом, и некоторое время они могут не высовываться в город.

— Только никаких звонков своим друзьям и знакомым! — предупреждаю их. — Я мог бы забрать у вас телефон, но нам придется с вами связываться, чтобы узнать, как тут дела. Поэтому рассчитываю на вашу сознательность. Что, собственно, в ваших же интересах. Никто не должен знать, что вы уже в Питере!

Вроде бы меня поняли. Насколько правильно, покажет время.

Джонни уходит на кухню переговорить с девушкой, я же показываю ее матери, как и чем можно и нужно пользоваться в доме. Достаю из тайника и передаю ей компактный «вальтер».

— Зачем это?! — в испуге отшатывается женщина от оружия.

— Чтобы выжить, — доходчиво объясняю ей и, не обращая внимания на мимику закоренелой пацифистки, показываю, как пользоваться данной машинкой.

Уезжаем работать дальше. Джонни садится в мою машину.

— У тебя что-то было с этой девчонкой? — серьезно спрашиваю друга.

— Наверное, — говорит он не очень уверенно.

Конечно, это его дело. Вытаскиваю из бардачка запасной пистолет и передаю его приятелю. К этой игрушке у меня глушителя нет.

Первым делом едем к одному из ресторанов, где мы раньше собирались под вечер. Таких мест в городе из постоянных у нас было три, и наверняка Семен о них знает.

Возле ресторана обнаруживаются сразу две машины с быками. Может, они нас пасут, а может, чья-то охрана. Возможно, что и то, и другое. Будем считать, что пацанам сегодня не повезло — лес рубят, щепки летят.

Методично отстреливаем народ в обеих машинах. Ярость кипит в крови, туманит мозги. Из ресторана выскочили двое охранников с помповиками. Сидели бы мудаки и не высовывались. Сразу с двух сторон на них обрушивается шквал свинца. Сваливаем дальше. В остальных местах происходит почти то же самое, но лишних жертв уже нет. Кажется...

Глава шестнадцатая

Команду Семена мы потревожили достаточно. Четыре дня у нас ушло на поиски Чахлого, но он, имея чутье матерого волка, успел зарыться куда-то, и все наши усилия оказались тщетными.

Я решил изменить тактику. Семена выковырять из берлоги будет не просто. Они оба отсиживаются, а деньги капают. Чахлый же отвечает перед ворами за общак. Основной поставщик «зелени» Чахлому — это Семен. Вот я и решил укоротить их финансовый ручеек. Мне понятно, что это приведет к серьезной войне, так как вмешаются воры из Москвы, но я сознательно иду на этот шаг. Ворам будет не по нраву, что кто-то нагло перебивает немалые отчисления из Питера, но мои пожелания, которые я передал через Вора в Красноярске, остались без ответа. И даже хуже. Теперь Чахлый должен запросить помощи, и скорее всего ему помогут. По моему мнению, в данной ситуации я имею дело не с нормальным воровским авторитетом, а с ублюдком, которому деньги важнее всех его полномочий. Авторитет деньгами не делается. Это и полному идиоту ясно. Я так и заявил Вору в Красноярске. Он сказал, что, по его мнению, я прав и он поднимет вопрос среди серьезных людей в разных городах. Старый Вор пожелал мне удачи. Я заставлю всех считаться со мной и моей бригадой, которой пока, можно сказать, и нет. Выбора у меня, собственно, также нет. Или поставить себя над всеми, или нам хана.

Распотрошили наши тайники, где были сделаны запасы оружия. Одним из первых, на угнанной машине, атакуем среди бела дня банк, который принадлежит Семену. Мы не вступаем в перепалку с охраной, а элементарно расстреливаем окна директорского офиса из двух гранатометов. Зрелище потрясающее, но скорее всего там теперь много лишних жертв. Я осознаю это, но вряд ли что-то сейчас меня остановит.

Ближе к вечеру автоматным огнем накрываем витрины нескольких ресторанов, принадлежащих Чахлому. Важно, чтобы публика разбежалась. И в ближайшие пару месяцев сюда не торопилась. Затем, уже ночью, громим в области несколько бензоколонок, забрав выручку и взрывая их к чертовой матери.

На следующий день, из удобного телефона, Михаил отзванивается по многим конторам и предупреждает директоров, чтобы они сворачивали всю работу, иначе их фирмы будут так же уничтожены, как и те, о которых они уже слышали.

Я не сомневаюсь, что Семен сейчас подключает все свои связи, вплоть до ментов и службы безопасности. Но у тех у самих полный развал, и вряд ли они сейчас смогут нас отработать.

Мы переселились в область, найдя себе очень глухое место, где даже света нет. Хрен кто когда догадается, где нас нужно искать.

Распределяю между нами обязанности, работаем теперь поодиночке, чтобы быть меньше всего уязвимыми. Так легче уходить и оставаться незамеченными среди толпы. Для полного беспредела ситуация вполне подходящая. Пока политики грызутся между собой, менты разбежались в коммерцию, а бывшие чекисты сами не знают, кто они и где находятся, мы можем спокойно вести свою войну без оглядки на силовиков. Бандитизм по-русски — это вам не Чикаго начала века. И мы это докажем всем в очень короткий срок.

Во всяких серьезных делах обязательно есть ключевые фигуры, на которых замыкаются ответственные моменты бизнеса. Таковыми, конечно же, являются те, кто имеет право подписи на документах, дающих хождение финансам. Исчезает такой человек — и автоматически прекращаются поставки по договорам, не проходят платежные документы, кто-то включает счетчик по штрафным санкциям, и так далее. Именно этого мы теперь и добиваемся. Никакого бизнеса у наших противников не будет. Слава Богу, я заранее установил, где находятся у Семена конторы и даже самые мелкие партнеры. Такое делается просто: пара звеньев ездили по всему городу и пробивали всех коммерсантов подряд. Бизнесмены, естественно, говорят, какая у них «крыша», и звеньевой встречается с парнями, прикрывающими коммерсанта, чтобы убедиться, что тот не наврал и не блефует. Таким образом, у меня есть теперь «карта», на которую занесены все бизнесмены и их крыши. Группировок в городе достаточно, но меня сейчас интересует только самая крупная — Семеновская. Теперь Семен и его люди будут получать каждый день не деньги, а новую волну страха. Страха и ненависти, которая будет распирать их изнутри. Мы заставили Семена и Чахлого трястись от лютой злобы и бессилия, и несколько позже все это плавно перейдет в такой же лютый и беспощадный страх. И вот тогда Чахлый и Сеня сделают свои ошибки и окажутся перед нашими стволами. Конечно, может случиться и наоборот — жизнь-то штука жестокая!

Сижу за рулем шестьдесят шестого «газона». За кабиной, на шасси, установлена будка, по бортам которой для всех грамотных намалевано только одно слово: «РЕМОНТНАЯ». На мне рабочая одежда, и по всем документам я числюсь водилой какого-то областного кооператива по ремонту водо- и теплосетей. Внутри фургона столько всякого железного, наполовину ржавого хлама, что ни у какого ярого мента не возникнет спонтанного желания вдруг поковыряться среди железок и что-нибудь там найти.

Нет, у меня «шифер» не унесло и я никуда не устраивался на работу. «Ремонтная» — это мое отменное прикрытие. Путевку я могу выписать себе какую угодно и на любые объекты, кроме, конечно, особо охраняемых. Водительские права, а также паспорт у меня, естественно, липовые. Но кому сейчас нужно проверять это? Кому, на хрен, нужен какой-то там чумазый работяга? У меня кепка, парик, усы и четырехдневная щетина. Видок самый что ни на есть пролетарский. От такого водителя и ремонтника никто худого ждать не станет, разве что пьяного дебоша, если учитывать мои параметры как кулачного бойца. Но в тайниках фургона лежит такое... Мирным гражданам лучше этого добра не видеть и не знать о нем.

В город я припылил, как и полагается усердному трудяге, ни свет ни заря. Сонный гаишник на КПП проверил мои ксивы и вяло поинтересовался, не с похмелья ли я выбрался трудиться на благо общества. После того как я дыхнул ему в морду луком и чесноком, гаишник тут же проснулся, вернул мне документы и послал на три известных русских буквы в город, пообещав, что если еще раз так дыхну, он меня засунет в глушитель моего гребаного «газона». Молодой попался мент, но веселый.

Пожелав ему счастливо отдежурить под колесами первого же пассажирского автобуса, мило обменявшись еще несколькими «теплыми» пожеланиями, мы дружески расстались. Доезжаю до назначенного места и, закрыв кабину, лезу в фургон. Перекладываю из тайника в сумку необходимую мне вещицу и пешочком стручу через пустырь к далекому гаражному кооперативу. Нормальные люди приходят сюда за своими машинами через въездные ворота. Но у меня машины здесь нет. Зато у меня есть здесь дельце килограмма на полтора...

Сейчас раннее утро, и автолюбители еще только готовятся посетить свои любимые игрушки.

Возле нужного гаража и рядом никого нет. Спрыгиваю вниз и быстренько начинаю работать перед въездом в гараж под номером восемьдесят четыре. Удивительно знаменательный номер. На той штуке, которую я прикопал перед гаражом и прикрыл листом тонкого металла, чтобы площадь давления на взрыватель была больше, тоже стоит такой же инвентарный номер. Бывают же в жизни «счастливые» совпадения. Для кого-то это станет роковым... Присыпав песком железо, отваливаю в обратный путь. Никто меня тут не видел, и это тоже удача. В моем деле свидетелей не оставляют.

Забираюсь в кабину «газона» и достаю бинокль. Теперь стоит подождать, посмотреть, как у нас здесь все сработает.

Наконец народ потянулся к гаражам. Не дай Бог, какой идиот решит пройтись под воротами восемьдесят четвертого...

Ждать приходится довольно долго. Но это и к лучшему: мой клиент на работу не спешит, зато другие успеют разъехаться. Наконец вижу серенькую «БМВ». В ней охранники привозят в гараж своего босса, где он пересаживается на собственную тачку. Тип этот — правая рука Семена, и на нем висит несколько серьезных коммерческих проектов, а также руководство крупной бригадой боевиков. У этого типчика новенький «мерседес», и он не доверяет своего любимца никому. А зря...

Над крышами далеких гаражей поднимается столб пыли и копоти. Доносится глухой и раскатистый звук взрыва. Это сработала моя мина с инвентарным номером, который вы уже знаете. Убираю бинокль и, усмехнувшись своим мыслям, рулю дальше. День начинается очень удачно.

Солнце жарит вовсю. Несмотря на август месяц, для питерцев такая погода просто счастье. Редкое выпадает лето, когда жарких дней наберется штук двадцать за три месяца.

Вспугнув сигналом стайку загорелых длинноногих малолеток в коротеньких юбчонках, собравшихся на пляж, заворачиваю в переулок и паркую машину к тротуару. Иду дальше по улице пешком. На дорогу уходит почти двадцать минут. Я уже отмахал пару кварталов и выхожу к территории складов. Здесь перед въездными воротами довольно оживленно. Череда КамАЗов с длинными прицепами-фургонами желает посетить своих поставщиков, но проверка документов идет медленно. С ходу забираюсь в кабину ближней ко мне машины. В кабине водитель и экспедитор. Для третьего места вполне достаточно.

— Ты чего? — не понимает моих действий экспедитор. Парнишка он молодой, но хлипковатый. Водиле КамАЗа уже лет за пятьдесят. Оба смотрят на меня изумленно.

Достаю аргумент. Всем понравилось. Я тоже люблю оружие с глушителем...

— На территорию поедем вместе. Я — ваш грузчик, — подмигиваю им со значением.

Экспедитор с перепугу испортил воздух. Водитель морщится, да и мне становится как-то неуютно без противогаза.

— Еще раз так сделаешь, — предупреждаю экспедитора, зажимая нос левой рукой, — я тебе вентиляционных дыр, хорек занюханный, на всю жизнь насверлю...

— Я... не... — начинает парень и лезет через меня, открыть окно.

Совсем придурок обалдел от страха. А если бы я подумал, что он хочет выхватить у меня ствол? Отпихиваю его обратно.

— Си-ди спо-кой-но, — рычу я, — придурок!

— Да, да! Спасибо! — лепечет он.

Вахту проезжаем без заморочек. Водила показал нужные бумаги, и нас пропустили. Сворачиваем на первый склад.

— Рули вон туда, — показываю направление. Я на этих складах бывал несколько раз, поэтому знаю, куда ехать. — Потом скажу, что вам делать.

— Вы нас отпустите? — жалобно тянет экспедитор, преданно вглядываясь мне в глаза.

— Да не ной ты, сынок, — хмыкает водитель, спокойно ведя машину.

Я пока молчу. Добравшись до нужного места на огромной складской территории, приказываю остановиться.

— Сейчас выйдете и спокойно отправляйтесь к двадцать седьмому складу — там рядом центральная контора. Скажете, что вашу машину угнали прямо на территории.

Экспедитор усиленно и радостно кивает. Он заранее на все согласен, лишь бы я его отпустил целым и невредимым. Водитель КамАЗа, молча кивнув, оставляет ключ в замке зажигания и выбирается наружу. За ним суетливо лезет и экспедитор.

Пересаживаюсь за руль. Веду КамАЗ дальше. Через некоторое время торможу и выбираюсь из кабины. Вытаскиваю свою сумку. Между складов выхожу к нужным мне ангарам. Здесь терминалы, арендованные одним крупным семеновским бизнесменом. Тут хранятся компьютеры и видеотехника. Я знаю, что Сеня вкладывал в этот товар и свои деньги. Склады открыты, и тут загружаются продукцией несколько небольших машин. Вооруженной охраны здесь нет. Достав оружие, разгоняю народ к чертям собачьим. Забегаю в склад и в трех местах делаю свои закладки. Затем те же действия произвожу и во втором.

На выходе из терминала вижу бегущих в мою сторону камуфлированных людей с помповыми ружьями в руках. Эти типы из охраны складов. Хрен с ними. Достаю эргэдэшку и, выдернув кольцо, швыряю гранату за угол здания. Таким образом осколки никого не заденут, но остановят. Грохает взрыв. Камуфлированные тут же падают на землю, а я быстро проскакиваю открытое пространство и уже спокойно иду к машине. Ахает в одном терминале, затем в другом. Столько пластита и зажигательной смеси, сколько я заложил в двух складах, хватит, чтобы Семен лишился своих доходов с еще одного выгодного бизнеса. Пока я выезжаю на КамАЗе с территории, за моей спиной уже вовсю весело полыхает. На выезде все охранники поглощены суматохой, и мой отъезд никто не замечает. По дороге уже за территорией терминалов навстречу попадаются пожарные машины. Пожарники еще не в курсе, что просто водой им в подорванных складах огонь сбить не удастся.

Глава семнадцатая

На моем фургоне по городу особенно не размахаешься — гаишники вмиг прижмут. Поэтому, соблюдая все правила дорожного движения, добираюсь до гостиницы. Теперь это не просто гостиница, а отель. Название поменяли, а пролетарская суть осталась. С этой гостиницей у Семена любовь. Разумеется, захватить я ее не смогу и подрывать не собираюсь. Семен Семеном, а город разрушать у меня желания нет. Но вот вывести этот, с позволения сказать, отель из строя я могу.

С моим внешним видом меня легко пускают с черного хода. Оно и понятно. В грязной рабочей одежде, с рабочими сумками и бухтой провода на плече даже по советскому вестибюлю гостиницы я бы шариться не смог, а тем более когда все уже утонуло в русском капитализме. Для всего персонала моя легенда — ремонтник из Сантехнадзора — проскакивает, как блинчики с икрой. Кушают с удовольствием. Меня никто не сопровождает — всем лень.

Для начала легкими зарядами минирую в подвале трубы. Все трубы. Естественно, не в одном месте. На выходе произвожу несколько закладок в двух электрораспределительных щитах, а также в основной подстанции.

Через девять минут тут состоится маленькое светопреставление, после которого придется закрыть отель и ремонтировать его месяца два-три. Война, господа, — сплошные убытки...

Отъезжаю подальше и в своем фургоне меняю внешность и документы. Теперь я уже без усов, в другом парике и очках. Пока я менял свой образ и «ксивы», с удовольствием слушал, как вдалеке на все лады верещали всевозможные сирены ментовских и пожарных машин. Все. На сегодня у меня дел никаких.

Обедаю в какой-то мерзкой сосисочной и рулю во Всеволожский район, где можно отдохнуть на озерах.

Я успеваю еще застать хорошую погоду. Затем начинается дождь, постепенно переходящий в ливень. Вот это уже по-нашему, по-питерски. Народ торопится разъехаться по домам, а мне спешить некуда. Во всяком случае придется торчать здесь до завтрашнего утра. Не обязательно, конечно, проводить время на одном месте; к вечеру можно съездить во Всеволожск купить что-нибудь поесть. В фургоне у меня всего навалом, а вот еды нет.

Облокотившись на капот двигателя, читаю книжку. За стеклами кабины льет как из ведра, и меня начинает клонить в сон.

Вздрагиваю от требовательного стука в дверь. Кажется, я все-таки задремал. Дождь не прекращается. Смотрю в стекло. Что-то внизу мокрое и волосатое. Открываю дверцу. Девичье личико все в потеках воды. Тонкое летнее платьице без рукавов висит на ней, словно мокрая тряпка. Из-за этого фигурка выделена совершенно четко. Девчонка дрожит.

— Вы не разрешите мне погреться? — голосок у нее замерзший.

— Залезай!

Она быстро обегает машину и с другой стороны забирается на сиденье. Сжавшись в комок, сидит и лязгает зубами.

Выбираюсь из машины и лезу в фургон. Тут у меня, как я уже говорил, кроме еды найдется что хочешь. Беру большое чистое полотенце, завернутое в целлофан. Забираю и новенькую телогрейку, возвращаюсь в кабину. Завожу двигатель, чтобы нагреть воздух в кабине.

— Раздевайся! — говорю я девушке.

Она с ужасом таращится на меня. Думает совсем о другом.

— Зачем? — тихо спрашивает девчонка, перестав даже дрожать. На озере уже давно никого не осталось. Поэтому близость леса и отсутствие людей навевают юной даме сумасшедшие мысли.

— Затем, что заболеешь. Вот, вытрись, — кладу на кожух пакет и фуфайку, — и завернись в тулупчик. А за остальное не волнуйся, таких, как ты, на пляже было море, да так все и сохранились... — улыбаюсь ей. — Давай, не стесняйся, я отвернусь.

Беру книгу и, отвернувшись, углубляюсь в текст. Девчонка раздевается, шуршит полотенцем. В кабине от работы движка уже тепло. Девчонка закуталась в фуфайку и поджала ноги под себя.

— Спасибо, — благодарит она.

— Не за что, — усмехаюсь я и достаю термос с кофе. Наливаю ей и себе в пластмассовые стаканчики. — Вот только кормить мне тебя нечем.

— Да ну что вы! — восклицает она, принимая быстро нагревшийся стакан. — Я и так вам очень благодарна!

Пьем горячий кофе.

— Что же ты со всеми не успела? — удивляюсь ее нерасторопности.

— Я, наоборот, спряталась, — признается она и больше ничего не говорит.

Пожав плечами, я не настаиваю. Выпив кофе, курю в приоткрытое окно.

— А вы разве где-то здесь работаете? — спрашивает девушка.

— Нет. Отдыхаю.

— Значит, это ваша машина? — продолжает она любопытствовать.

— Значит моя.

— А вы, наверное, кооператор?

Пожимаю плечами. На этот вопрос не отвечаю. Пусть думает, как ей хочется.

— Я вот тоже думаю что-нибудь сделать... — размышляет она вслух. — С осени, наверное, и начну...

— А тебе в школу не надо? — удивляюсь ее планам.

Она весело хохочет.

— Какая школа?! — заливается она. — Мне уже двадцать лет! А вы что подумали?!

На вид ей больше пятнадцати не дашь. Вообще-то это пусть прокурор дает, а раз девчонка говорит двадцать и мечтает о своем деле, значит, так оно и есть.

— Неплохо, я думал, что вы еще классе в восьмом учитесь.

— Да, многие именно так и думают... — улыбается она. — Я училась на хореографа. Вот и хочу открыть школу танцев.

— Хорошее дело, — киваю я.

— Да. Но снять помещение стоит дорого, — сетует она, — и как-то это оформлять надо...

— Просто. Оформляется как частное предприятие, — помогаю ей. — А спортзал в школе арендовать, я думаю, вряд ли будет дорого.

— Все верно. Но хотелось бы иметь свой зал...

Я смеюсь:

— Не так все быстро делается. Сначала поработаете на аренде в школе, а там, возможно, и накопите денег на свой зал.

Глаза у девчонки загораются. Видимо, она давно уже решилась.

— Я ведь понимаете, что хочу... — быстро выкладывает она свою идею, — чтобы не просто зал для танцев был, а и массажный кабинет, комната отдыха, сауна, бассейн...

— Ну, это уже целый дворец спорта, — удивляюсь я ее фантазии. — Его так не приобрести, это все строить надо. Да и деньги там уже другие.

— Вот то-то и оно, — грустнеет девчонка. — Мне таких не заработать...

— Если есть желание — надо стараться, — учу я ее. — Любые сомнения в собственных силах — это уже, можно сказать, поражение.

Если решили — делайте. Сомневаетесь — уйдите в сторону.

По ней заметно, что она со мной согласна.

— А вы как? — интересуется она.

— А я — так, — усмехаюсь ей. — У меня все нормально.

— Ну, а если не секрет, то сколько вы думали зарабатывать и как получилось на самом деле?

Интерес у нее не чисто производственный.

— У меня не было конкретной цели заработать столько-то, — признаюсь я. — Потолка быть не должно. Чем больше, тем лучше. Но, как и на любом производстве, бывают спады и подъемы, мешают конкуренты, приходится заниматься не совсем тем, что планировал... Все зависит от специфики работы и от вашего трудолюбия... Снимите один зал и ведите уроки сами. Снимите еще пять залов и наймите учителей на зарплату. Думайте масштабней, и у вас все получится...

Глаза у девушки разгорелись.

— Точно! — восклицает она. — Как я не подумала?! Можно ведь и вправду нанять учителей! Здорово! Спасибо вам!

— Не за что, — хмыкаю я и смотрю на часы. — Может, вас отвести в город? Я могу подбросить вас до вашего дома.

— Правда?! — радуется она. — Я вас не утомила?

— Нет, напротив, разбудили. Приятно было пообщаться с красивой и почти голой девушкой, — смеюсь я.

Она тоже хохочет:

— А мы даже и не познакомились. Меня зовут Марина.

— Антоныч.

Едем в город. Марина живет на Ржевке. Она оставляет мне свой телефон. Может быть, когда-нибудь я им и воспользуюсь.

Снова приходится возвращаться к озеру. По дороге заезжаю в магазин и беру себе на ужин хлеба, колбасы и апельсинового сока. Завтра с утра на озеро подъедет Серега.

— Все отработали как надо! — весело приветствует меня приятель, появившись рядом с моей машиной в одиннадцатом часу утра. — Пацаны все целы. Джонни только слегка зацепило. Он влез в перестрелку с охраной Семена! Представляешь, увидел эту сволочь в городе совершенно случайно и давай с ходу палить!

— Ну?! — жду от него хороших вестей насчет Семена-жмура.

— Не попал, — разводит руками Серега, делая огорченную рожу.

— Вот зараза! — Я так длинно и долго, матерюсь что приятель начинает ржать на весь берег.

С утра погода стоит солнечная, и к озеру потянулся народ.

— Ты, Антоныч, как тот боцман загибаешь! — хохочет приятель.

— Другого ничего и не остается, — отмахиваюсь я. — Ладно, некогда уже. Забирай рыдван и дуй отсюда.

Серый, усмехаясь, лезет в «газон». Я перехожу в машину, которую он мне пригнал. Это древний «Москвич-412». Видок у «Москвича» сильно замученный, но начинка сделана по высшей категории умельцами-автогонщиками. Слежка на таком неприметном драндулете — самое милое дело. Уйти от меня никто не сможет. Кроме, конечно, хорошей спортивной тачки.

Еду на авторынок. Машины здесь не продают, только запчасти к ним и другую шелуху. В общем, обычная толкучка. Кто-то продает с лотков, но много и личных контейнеров частных предпринимателей на огромной, огороженной сеткой территории. Сам рынок мне не нужен. Мне требуется дождаться тех, кто под закрытие рынка, а это будет в четыре часа дня, приедет собирать деньги. Эти деньги — ежедневная дань с коммерсантов, которую собирают бойцы, поставленные здесь от Чахлого. А машина с братками придет уже на подготовленные для них бабки и повезет эти деньги положенцу. Может, и не сразу ему. Вот поэтому мне и нужно проследить путь машины с бойцами Чахлого.

Наконец замечаю красную «бээмвушку» и вылезающих из нее четверых крепких бычков. Одного из них я видел вместе с Чахлым и знаю, что этот парень у положенца для особых поручений.

Пока боевики ходят за деньгами, разворачиваю свой «Москвич» и отъезжаю подальше от рынка, занимая удобную позицию для старта. Ждать приходится недолго. Через пятнадцать минут красная «бээмвэшка» выруливает на проспект. Следую за ней, держа дистанцию в две машины. Парни в «БМВ» не торопятся. Они заезжают еще в пару мест и только после этого следуют уже без остановок.

Ведут быки себя совершенно беззаботно. Видимо, полностью уверены в своей неприкосновенности. Не знаю, на чем она у них основана и в чем там эти козлы уверены, но то, что я таких идиотов не держал бы рядом с собой, в этом я уверен на сто процентов. Значит, Чахлый не так хитер, как это ему кажется. Подобное открытие меня несколько успокаивает.

Мы приехали в Парголово, и я наблюдаю из-за поворота, как парни с «БМВ» заходят в частный дом со своей сумкой. В сумке — деньги. Через некоторое время они возвращаются в машину и уезжают в город. Сумки с ними уже не было. Надеюсь, мне повезет и я увижу в этом доме Чахлого.

Продолжаю наблюдение за воротами дома со стороны. Забор деревянный, низкий, и ворота не из металла, а из дерева. Сам домик одноэтажный, каких рядом достаточно, и ничем особенным не выделяется. На участке есть пара старых сараев и сколько-то там садовых деревьев и кустарников. Очень неприметное место. Именно такое и может служить неплохим укрытием от любопытных глаз. Сижу в машине до темноты.

Глава восемнадцатая

Стемнело. В окнах домов зажглись огни. Навинчиваю на АПС глушитель и, убрав оружие под куртку, выхожу из машины. Улочки пустынны. В тишине поселка часто взлаивают дворовые собаки. Забираюсь на участок перед домом, перемахнув забор, и оказываюсь за небольшими, но пышными ягодными кустами. Почти на корточках крадусь к дому. Освещенные окна плотно зашторены, и на улицу свет почти не пробивается. Над крыльцом дома, паршиво освещая ступеньки, горит тусклая лампочка в загаженном мухами продолговатом плафоне. Проскользнув под окнами, мягко, почти неслышно поднимаюсь на крыльцо к входным дверям. Держа пистолет наготове, пробую другой рукой открыть дверь. Она подается. Как бы я ни был спокоен, но все же нервы у меня словно натянутая струна. Притормозив на пороге, выравниваю дыхание и концентрируюсь, настраивая себя на спокойную работу без лишней дерготни с максимумом внимания. Легко сказать — спокойствие! Нервишки все равно бьют по телу. Но я себя знаю, перед возможными неприятностями в виде пальбы нервы у меня всегда пошаливают; с этим трудно бороться, но лишь до того момента, пока все не началось... Как только процесс пошел, завязалась стрельба, я тут же становлюсь совершенно хладнокровным и все нервы уходят куда-то вглубь. В этот момент оценка ситуации идет максимально верная. Так это и должно быть, так оно и есть!

Дверь отворяется без шума, и я легко проникаю в освещенный коридор. Быстро и мягко, словно кошка, начинаю обходить дом, комнату за комнатой. Через пять минут я в некоторой растерянности останавливаюсь в коридоре. Дом пуст. Людей, мать его, в нем нет. Фигня какая-то! Может быть, парни просто занесли деньги, спрятали их в тайник и уехали? Но кто же тогда включал после в доме свет? Может, все-таки какое-то реле? Оглядываюсь вокруг. Нет. Какое, на хрен, реле?! Глупость полная...

Еще раз, более тщательно осматриваю весь дом. Забираюсь в подвал, но все тщетно. Никаких следов недавнего пребывания людей. Следов нет, но я просто физически ощущаю, что здесь кто-то недавно побывал, и не только те парни, приезжавшие с деньгами. Здесь был кто-то еще, но куда он, гад, испарился?! Второго выхода из дома нет. Разве что через окно.

Я проверил все оконные рамы и убедился, что все они закрыты плотно и изнутри. Не нравится мне все это, ой как не нравится!

Вновь очень тщательно исследую дом — вдруг обнаружу потайной выход или тайник. Даже пробую открыть окно, выходящее на противоположную от дороги улицу. Рама подается, но с нее тут же сыплется старая, высохшая краска. Нет. Через окно никто не выходил, это точно. Запускаю в дом прохладный вечерний воздух. Пора мне отсюда убираться. Вряд ли я смогу обнаружить здесь что-то новенькое. Иду на выход.

Смутное, тревожное чувство подсказывает об осторожности. Открываю входную дверь, буквально на мгновение показываюсь в проеме и тут же отпрыгиваю назад, за выступ стены. Сердце бешено застучало — пошел адреналин, и кажется, что мир замер. Я ничуть не обманулся в своих худших ожиданиях. Как только заскакиваю за угол, в коридоре начинает рваться стена от мощно ударивших в нее пуль. Полетели лаковые щепки от вешалки, в обоях появились неровные черные пунктиры рваных точек. Выстрелов с улицы мне не слышно. Значит, у нападающего автомат с глушителем. Очень умно подмечено… наверняка подкарауливает меня не один человек.

Выключаю в прихожей свет. Ничего особенного в такой ситуации я не вижу. Обычные будни обычных питерских бандитов. Усмехаюсь своим мыслям и, вытащив из кармана маленькое зеркальце, выставляю его из-за угла. Пытаюсь рассмотреть, что там на улице. Темно, ни черта не видно. Заборы, кусты.

Наугад, не высовываясь из-за угла, стреляю в темноту по кустам. В ответ тут же прилетает рой пуль. Заметить, откуда бьет стрелок, невозможно. У него отличный глушитель, который не пропускает пламя после выстрела вообще, так же как и сам звук. Мой АПС-Б хлопает все-таки достаточно звучно. Руки в тонких кожаных перчатках начинают потеть. Очень похоже, что вариантов отхода отсюда мне не оставили. Но я ведь открывал окно, и без ущерба для себя. Значит, вариант все-таки есть. Окно в комнате так и осталось открытым. Но, чтобы мне до него добраться, придется пересечь часть коридора, а это значит, что две секунды я буду на виду у стрелка. Перспективка... За короткие мгновения просчитываю возможные варианты и прихожу к выводу, что у меня есть только один. Придется подставляться. Перевожу флажок предохранителя «стечкина» в крайнее заднее положение — на стрельбу очередями. Зажимаю новую обойму в левом кулаке. Пора. Высунув глушитель «стечкина» за угол, длиной очередью разряжаю магазин пистолета-пулемета до конца. Стреляю по чернеющим кустам возле забора. Прыгаю вперед по направлению к комнате. Мне нужно сделать три больших шага. Нормально получаются только два. На третьем что-то мощно и неожиданно ударяет меня в левый бок. На ногах я устоял и из-под обстрела вышел. Меняю магазин и, пролетев через комнату, ныряю в темноту открытого окна. Приземляюсь удачно и, перекатившись в сторону, чуть ли не на карачках ухожу к темнеющему в саду сараю. Бегство из дома занимает считанные секунды.

Ярчайшая вспышка за спиной и оглушительный грохот прибивают меня к земле. По деревьям сада, по доскам и крыше сарая с шумом бьют осколки... Мне на спину шлепается кусок обгорелой доски. Некоторое время лежу, прикрывая голову руками. Затем оборачиваюсь назад. Зрелище впечатляет — от дома практически ничего не осталось, а то, что еще уцелело, весело потрескивает искрами и ярко освещает всю округу. Чем это придурки долбанули? Вроде танки не подходили...

Еще раз с удивлением посмотрев на то, что осталось от дома, бегу в темноту. Шустро перемахиваю заборы, минуя чьи-то сады и по дороге, замочив двух особо свирепых псин, которые пытались отгрызть мне на ходу ноги, выбегаю на тихую улочку. После преодоления очередной преграды чувствую, как мне становится плохо, начинает знобить, и хочется ни с того ни с сего блевануть. Тяжко дыша, почти теряя сознание, опускаюсь на землю. Оказывается, я ранен. Левый бок и брючина все в крови. Значит, меня все-таки зацепило в коридоре. Понимаю, что сидеть мне здесь никак нельзя. Я теряю много крови, и мне срочно нужна врачебная помощь. Придерживаясь рукой за изгородь, поднимаюсь на ноги. Колени подгибаются, в голове все кружится и в глазах темнеет.

Ну нет! Падать нельзя, иначе хана! Нужно идти! Идти во что бы то ни стало. Иду, как могу в этот момент. Время и реальность теряют в моих глазах свои очертания. Тошнота накатывает волнами с каждым шагом. Сворачиваю в переулок и тут же натыкаюсь на габаритные огни прицепа грузовика. Кажется, КамАЗ собирается отъезжать. Собрав силы, быстро дохожу до кабины и лезу открывать дверцу. Без спроса заваливаюсь в кабину. Пожилой шофер удивленно смотрит на меня, всего окровавленного и совершенно грязного после кувырканий в саду взорванного дома.

— Все нормально, батя... — хриплю я. Лицо водителя расплывается у меня в глазах. — Довези на Гражданский. Только без ментов...

Называю место, куда мне надо. Адрес своей квартиры, где сейчас живут дочка и жена убитого недавно Марка, я, естественно, не говорю. Попробую добраться сам...

— Ты откуда такой, парень? — водиле страшно. — Это тебя, что ли, шарахнуло недавно? — Взрыв, наверное, слышали в округе все.

— Почти... — прислоняюсь к дверце машины боком, тяжело дыша и зажимая рукой раненый бок. — Не тяни, батя, поехали, — прошу его.

Водитель молча заводит двигатель и трогает КамАЗ с места. Вся дорога проходит будто в кошмарном сне. В нужном мне месте оставляю шофера живым и здоровым и бреду к своей квартире. Совершенно не помню, как я умудрился все-таки добраться до этажа. Вроде бы меня никто из соседей не заметил.

Дверь открывает жена Марка. У меня еще хватает сил объяснить ей, кого нужно вызвать. Я говорю о врачихе, которая не так давно лечила мою студентку, оказавшуюся такой неблагодарной. Называю номера телефонов и наконец позволяю себе потерять сознание. Я уже устал терпеть боль и слабость. С облегчением проваливаюсь в забытье.

Глава девятнадцатая

Очнулся я только на пятый день. Капельницу еще не сняли. Женщины в точности выполнили мои указания, и врач приехала немедленно. Она успела. Врачиха сделала операцию и оказала всю необходимую помощь в таком случае. И опять же мне повезло, так как жена Марка, оказывается, закончила медицинский и некоторое время даже проработала в больнице, пока не вышла замуж. Зовут ее Вера Анатольевна. Дочь ее зовут Валерия.

Ранен я, оказывается, не только в бочину, но и в ногу. Хорошо, что не было задето никаких жизненно важных артерий.

Вера Анатольевна сообщила, что мои друзья за эти дни так и не появлялись. Это странно. Джонни обязательно приехал бы, чтобы проведать Валерию, или хотя бы позвонил. Но никаких звонков от него не было. Значит, и у моих парней случились серьезные неприятности. Дай Бог, чтобы парни остались в живых. Несмотря на то что мои ранения оказались не из тяжелых, я смог подняться на ноги лишь через месяц. По квартире я, конечно, передвигался и до того, но самостоятельно выйти на улицу смог только сейчас.

Осень. Сухая осень в Санкт-Петербурге. Спальные районы, конечно же, плохие места для пеших прогулок — мало зелени, много пыли. Опираясь на тросточку, купленную Валерией в аптеке, медленно брожу по микрорайону. Возвращаюсь домой часа через три. Я вспотел от напряжения. Дрожат ноги и сбивается дыхалка. Совсем небольшая прогулка выбила меня из колеи. Необходимо тренироваться каждый день, постепенно увеличивая нагрузки.

Врачиха посещает меня ежедневно и вполне довольна моим состоянием. Зато я своим состоянием не доволен. Помимо физической слабости, у меня заканчиваются деньги. Вера Анатольевна и Валерия четко выполняют предписанный мной режим, при котором им нельзя встречаться и созваниваться ни с кем из знакомых. Соблюдение таких правил для женщин удивительно.

У меня уже не раз возникало желание позвонить в Красноярск Волку и просить его о помощи. Но каждый раз усилием воли подавляю в себе подобную слабость. Я должен справиться со своими проблемами сам. Я и пытаюсь это сделать.

Проходит еще одна неделя. Чувствую, что достаточно окреп для недолгой серьезной вылазки. А она мне необходима. У меня нет транспорта и нет денег на его покупку. Деньги нужно срочно где-то взять. Ни в одну из бывших подконтрольных мне фирм я обратиться не могу, не рискуя нарваться на бойцов Семена. Теперь те фирмы уже не мои.

С улицы, с автомата, звоню по некоторым имеющимся у меня надежным телефонам, но нигде о моих друзьях никто ничего не знает и не слышал. И все-таки я убедился, что у меня до сих пор осталось человек семь-восемь преданных боевиков. Эти парни только и ждали, когда я появлюсь и позову их с собой. Не скрою, это приятно. Чуть позже народ мне понадобится. А пока я все делаю сам.

Наведываюсь в несколько мест, где у нас находятся тайники с оружием. Все оказывается на месте. Пока мне приходится отказаться от тяжелых и громоздких стволов, и я таскаю теперь в карманах два легких «вальтера». Взяв такси, еду в ресторан к Кормильцеву. Помнится, мы предупреждали этого мужика насчет штрафа в тридцать тысяч долларов. Я не в курсе, забирал ли кто из моих парней те деньги, но хоть что-то я от Кормильцева поимею все равно.

Мой визит для директора ресторана является полной неожиданностью. Вижу, как у него округляются глаза: он смотрит на меня так, словно увидел привидение.

— Ты не забыл, о чем я предупреждал тебя в последнюю нашу встречу? — интересуюсь, усаживаясь в мягкое кресло напротив директорского стола. — И ручки положи так, чтобы я их видел...

Кормильцев все выполняет. Теперь я могу наблюдать, как страх проникает в глаза директора.

— Вас ведь убили, — глухо произносит он. — Об этом все говорят...

— Кто все?

— Все... Семен приезжал, хвастался, как они устроили на вас засаду с подставкой и в Парголово взорвали вас вместе с хибарой... Это видели еще трое парней, которые и были тогда с Семеном.

— Какие еще слухи ходят обо мне и о моих друзьях?

Кормильцев нервно берет сигарету и прикуривает от зажигалки. Пальцы у него дрожат.

— О вас я только что сказал, а вот о ваших друзьях... — он запинается, но увидев мой взгляд, спешит продолжить. — Их тоже всех убили... В смысле, не тоже... — поправляется он, так как я сижу перед ним живой и здоровый. — Их вычислили поодиночке и расстреляли прямо в машинах, когда ваши друзья выслеживали Семена и Чахлого...

— Их точно убили?

Кормильцев шумно выдыхает сигаретный дым.

— Теперь я в этом не уверен, — намекает он на мое внезапное воскрешение. — А по поводу денег, Антоныч, — он сминает окурок в пепельнице, — я ведь и вправду думал, что вас уже нет в живых... У меня здесь, в сейфе, лежит только двенадцать тысяч. Если вы дадите мне дня три, я соберу для вас и все остальное.

Что ж, на безрыбье и рак рыба. Вряд ли я приеду к нему через три дня, так как мне здесь запросто устроят засаду. Придется довольствоваться тем, что есть. Я молча киваю головой. Кормильцев, поняв мой знак по-своему, встает и подходит к сейфу. Достает пачку долларов. Подходит ко мне, передает мне деньги в руки. Присаживается в кресло напротив.

— Послушайте, Антоныч... — начинает он вдруг доверительным тоном, которого я от него никак не ожидал. — Я хочу вам помочь, потому что смогу помочь и себе...

Смотрю на него с некоторым интересом.

— С чего бы это? — усмехаюсь я.

— Зря вы так... — вздыхает он. — Я с вами совершенно искренен. Мне надоел Семен до чертиков. Он забирает у меня почти все, и я даже не могу купить новое оборудование для кухни, не говоря уже о том, чтобы сделать реконструкцию залов. А у меня ведь очень хороший ресторан...

В этом я с ним согласен. Ресторан господина Кормильцева в городе знает вся элита.

— Ты хочешь, чтобы я помог тебе избавиться от Семена? — уточняю я с некоторой иронией.

— Да. — Кормильцев, напротив, совершенно серьезен и даже хмур. — Я уже натерпелся. Недавно Семен избил меня прямо в этом кабинете, отпинал ногами — и только из-за того, что я не додал ему триста долларов. У меня их действительно в тот момент не было. Вы же знаете, Антоныч, что у меня не только этот ресторан, но и целая сеть мелких баров и кафешек по всему городу, не считая магазинчиков. Деньги все-таки идут неплохие. А вот Семен уже считает себя хозяином всех этих заведений, а меня, того, кто все это создал на собственные деньги, он держит за обычного директора, которого поставил на это место именно он... Я понимаю, что за ним реальная сила и убрать человека для Сени или для его бойцов — дело совершенно плевое, но я так больше не могу...

Вроде бы монолог Кормильцева прозвучал довольно искренне. Но насколько искренен предприниматель, я пока затрудняюсь сказать. Вполне возможно, что все это — правда, а может быть и ловушкой для меня. И ловушка может оказаться почище того домика в Парголово. Все-таки не верить Кормильцеву совсем у меня нет оснований. Поживем — увидим...

— Мне нужен Семен, но сейчас я вряд ли смогу разобраться со всей его бригадой. У меня почти не осталось людей, — честно говорю я директору, чтобы он не питал зря иллюзий.

— Я все понимаю! И я вам помогу! — заверяет меня Кормильцев с неподдельным энтузиазмом. Он прямо весь подался в кресле в мою сторону. — У меня найдется для вас необходимая информация! Честное слово, Антоныч, я бы лучше работал с вами, нежели с Семеном. Хотя все в городе знают, как вы разбирались с конкурентами, но... те коммерсанты, которые работали с вами, считали вас самой лучшей своей «крышей». Вы всегда обращались с ними корректно, помогали, никогда не «душили» поборами... Мне друзья много рассказывали о вас и ваших методах...

Отрадно такое слышать. Оказывается, не такой уж я и зверюга, как сам думал. Доброе слово, как говорится, и Антонычу приятно...

— Не обещаю, что все изменится скоро, — говорю директору. — Но не для того я здесь появился, чтобы получать от тебя деньги и жить спокойно в стороне. Семен и Чахлый разгромили мое дело, им это удалось, не скрою, но им не удалось убрать меня с дороги, и в этом теперь их проблема. Сейчас мне важна любая информация по этим типам.

— Я сейчас вам много чего расскажу! — радуется Кормильцев, вскакивая с кресла. — Но давайте лучше перенесем наш разговор в машину и отъедем от ресторана. Вот-вот может появиться Семен со своими гориллами...

Мысль разумная. И хотя я мечтаю завалить Сеню, и лучше бы прямо сегодня, я говорю:

— Можно и в машине.

Кормильцев загрузил меня действительно серьезно. Знает он, по его словам, достаточно, чтобы я мог обнаружить своих врагов, не напрягаясь, и закопать их. Насколько правдивы слова директора, мне еще придется выяснять, и, возможно, на своей шкуре. Как бы там ни было, отступать я не собираюсь. Семен и Чахлый убили моих друзей, и этого я им никогда не прощу, пока лично не сделаю их холодными жмурами. Вот только после этого можно будет заняться бригадами этих ублюдков.

Из рассказа Кормильцева я узнаю, что у Семена теперь имеется собственный офис, и мне сейчас известен его адрес. Сеня бывает там или рано утром, или поздно вечером.

Еду в центр, поймав такси. Сейчас рабочий день, и в офис проникнуть несложно. Причин, по которым я могу там оказаться, можно придумать сотни. Все связано с бизнесом. Так и прохожу через охрану на входе, представившись одним из покупателей-оптовиков.

Сначала я иду по маршруту, указанному охранником, чтобы попасть в отдел сбыта. Но по дороге, пользуясь схемой Кормильцева, сворачиваю в другой коридор. Мне нужен кабинет директора, который обычные бизнесмены не посещают. Офис тут шикарный. Блещет импортными отделочными материалами и занимает огромную площадь в большом доме еще сталинской постройки. Под контору отведен весь первый этаж.

Слышу впереди чьи-то громкие шаги, но людей пока не вижу: они еще не вышли из-за поворота. Мельком взглянув на табличку на дверях, ныряю в сторону. Здесь находится комната переговоров, и она почему-то оказалась незапертой. Посредине просторного помещения стоит огромный круглый стол со множеством кресел вокруг него. Окна плотно занавешены, горит неяркий свет от утопленных в потолке многочисленных лампочек. Лампочки слегка притушены. В помещении еще не выветрился запах сигаретного дыма, и отсюда я делаю вывод, что в комнате недавно совещались, а охрана просто не успела закрыть двери.

Быстро осматриваюсь, так как шаги в коридоре приближаются и мне отчетливо слышны голоса нескольких парней. По-видимому, они из охраны. Вот они останавливаются у двери в коридоре:

— Ты переговорку закрыл?

— Да нет еще.

— Ну так закрой! Митрофан нам башку оторвет, если узнает, что промедлили!

— Сейчас закрою. А ты куда?

— Я на третий пост смотаюсь, проверю компьютерщиков.

— А-а... Ну ладно. Приходи потом к Мишке, чаю попьем.

— Вы там только сейчас в карты не играйте, пока контору не закроем.

— Да я что, по-твоему, баран совсем?!

Дальше не слушаю. Пересекаю помещение вдоль стены и захожу в туалетную комнату, оставив дверь слегка приоткрытой. Если охранник решит проверить и здесь, то придется его убрать.

Быстро навинчиваю на «вальтер» небольшой тонкий глушитель, снимаю с предохранителя. Охранник заходит. Я наблюдаю за ним через щель между дверью и косяком. Слава Богу, следящих камер в коридоре нет, а значит, мое проникновение сюда прошло незамеченным. Бегло осмотрев помещение от порога, охранник выходит в коридор, выключая за собой свет. Щелкает замок, отрезая меня от всех. Называется — попал! Теперь остается только ждать, когда кто-то вновь решит посовещаться. А может, это будет через пару дней? Веселенькая у меня перспективка...

Комнаты переговоров, подобные этой, теперь существуют во многих серьезных офисах. Они надежно защищены электронными системами от попыток прослушивания и проглядывания. Так что я могу не волноваться за свое стойкое одиночество...

Выхожу в помещение. Вода у меня здесь есть, туалет — тоже. Заточение с комфортом, можно сказать.

Подхожу к тумбе, на которой стоит телевизор. Видео есть тоже. И даже имеется неплохая подборка кассет с фильмами. Значит, существует еще вариант, что, когда все клерки уберутся из офиса по домам, охранники могут прийти сюда ночью смотреть фильмы. Уже обнадеживает.

Нахожу бар с батареей всевозможных бутылок со спиртным, мечта алкаша. Есть и минералка. Надев перчатки, открываю бутылку «боржоми» и, налив себе в высокий тонкий бокал, с удовольствием пью. Посмотрев на часы, отмечаю время и удобно устраиваюсь в мягком кресле. Можно подумать, а можно и подремать. Пистолет лежит у меня на ноге, вселяя уверенность в будущее...

Глава двадцатая

Момент, когда начали вставлять ключ в замок, я просек сразу же. Подхватив бокал и бутылку, сваливаю в туалет. Затаился и жду, приготовив оружие к стрельбе.

В комнате зажигается свет, и заходят двое. Одного из них я узнаю сразу же. Это и есть Семен. Смотрю на часы. Прошло почти пять часов с того момента, как я оказался запертым в комнате переговоров. Семен пропускает седоватого мужчину вперед себя и закрывает за собой дверь.

— Проходи, Саша, присаживайся, — радушно предлагает Сеня.

Его спутник низкоросл, но развит атлетически и имеет совершенно бычью шею. Скорее всего, раньше этот тип занимался вольной борьбой. Почему раньше? Потому, что сейчас ему далеко за тридцать: вряд ли в этом возрасте можно серьезно заниматься спортом. Оба устраиваются за столом. Семен уходит из моего поля зрения, а тот, кого назвали Сашей, садится ко мне спиной.

— У меня очень мало времени, — предупреждает Саша.

— Не задержишься, — обещает Сеня. — Что-нибудь выпьешь?

— Нет. Спасибо. Давай лучше о деле, — нетерпеливо говорит борец. Голос у него ровный и гулкий. Странный голос.

— Хорошо, — соглашается Сеня. — Выкладывай.

— Через два дня придет вся партия, — тут же начинает борец. — Кокаин на этот раз пойдет в медицинских пакетах с гуманитарной помощью из Германии. Это все, конечно, только по документам... Товар как бы от «Красного креста». Все документы честные, бланки подлинные. Таможня этой партии не грозит. Все будет без проверок. Твоя задача — обязательно самому встретить и сопроводить на склад.

— Склад все тот же?

— Нет. Повезешь вот по этому адресу, — борец шуршит бумагой. Скорее всего, ковыряется в записной книжке и продолжает комментировать вслух. — Это почти на выезде из города. По набережной...

Он называет точный адрес и номер терминала. Запоминаю.

— Как там с охраной? — интересуется Семен.

— Вот охрану организуешь свою. У нас там пока только по два человека дежурят в смену. С понтом охраняют дешевый товар. Склады там дерьмовые, но так будет лучше. Товар заберут на следующий день. Покупатель будет с деньгами. Сумма гораздо больше той, о какой мы говорили первоначально на той неделе.

— Я могу ее знать?

— Лимон двести зеленью, — внушительно говорит борец.

Неплохие у ребят проходят суммы. Но дерьмо в том, что деньги они получают от наркоты. Наркотики я не уважаю ни в каком виде. И еще мне интересно, кто этот тип с борцовской внешностью?

Они разговаривают еще минут пятнадцать, а затем уходят. Снова щелкает ключ в замке, и опять я остаюсь взаперти. Но это уже не важно. Услышав о предстоящей крупной сделке, мне расхотелось вот так сразу валить Сеню. Пусть гнида походит еще пару дней. У меня возник план, и я намерен привести его в исполнение: почему бы и не заполучить наличкой миллион двести тысяч долларов, когда они сами идут в руки? Тема, конечно же, слишком рискованная, но когда, интересно, у меня было проще?

Время тянется томительно долго. Меня даже клонит в сон. Черт! Неужели придется торчать здесь до утра? На моих часах половина второго ночи. Наконец в замке поворачивается ключ. Приседаю за столом возле окна. Пусть ребятки пройдут в помещение. Я должен сначала точно знать, сколько их осталось в офисе на дежурстве.

— Да я тебе говорю, этот фильм самый классный! Сейчас сам увидишь! — слышу голос охранника.

— Лучше сначала мой посмотрим, — возражает другой. — Я специально в прокате сегодня взял. Это новый боевик!

Поднимаюсь из-за стола. Охранники, увидев меня с пистолетом в руке, впадают в ступор, замерев на месте. Их двое.

— Сколько вас осталось в конторе? — интересуюсь я у них спокойно.

— А-а... Кхе.. Четверо, — хрипит один из них вмиг севшим голосом.

— Где остальные?

— У входа.

— У кого из вас есть машина?

— Мишка на «копейке» ездит. А вы кто? — не удерживается парень от вопроса.

Машина мне нужна, так как посреди ночи должен же я буду на чем-то убраться отсюда. Не такси ведь вызывать...

— Выходите! — приказываю парням, качнув стволом пистолета.

Выходим в коридор. Охранники по моей команде закрывают двери комнаты переговоров. Осточертела мне эта комната! Идем к главному посту. Здесь я разбираюсь со всеми бойцами кардинально. Каждый получает по своей пуле без лишних разговоров. Никто из охранников даже не успел дернуться. Забираю ключи от «Жигулей» и выхожу на улицу. Открыв багажник машины, вытаскиваю оттуда полную канистру бензина. Думается мне, что двадцати литров горючки вполне хватит этому офису за глаза и за уши... Возвращаюсь в контору. В каморке, где стоит монитор видеонаблюдения, сбрасываю все кассеты на пол и вытаскиваю те, что стояли в приемниках на видеозаписи. Обливаю все хозяйство бензином. Затем лью горючее в других помещениях и на пол в коридоре. Чиркнув зажигалкой, подпаливаю клочок бумаги и кидаю его на пол. Тут же вспыхивает хищное пламя, устремляясь по офису. Снова выхожу на улицу, закрывая за собой тяжелую металлическую дверь.

Сажусь в машину и еду в город. Недалеко от Варшавского вокзала бросаю чужую тачку и иду к площади, чтобы взять такси. Теперь можно без нервов добраться до дома.

Женщины уже спят, и я аккуратно, чтобы их не будить, сразу же иду в свою комнату и, раздевшись, валюсь на кровать. Свинство, конечно, дрыхнуть без душа, но я чертовски хочу спать, и все тело просто ломит от накатившей усталости.

— Вам нужно уехать, — говорю я Вере Анатольевне утром, когда мы втроем садимся завтракать. — Лучше всего за границу. У вас ведь есть открытая европейская виза?

— Я понимаю, но мы не можем этого сделать из-за денег, — неуверенно возражает она.

— Деньги уже есть, — успокаиваю ее. — Сегодня же возьмем вам билеты на хельсинский поезд, а из Финляндии уедете в Австрию или во Францию. Потом оттуда сообщите мне, куда вам перевести деньги. А пока вам одиннадцати тысяч хватит?

Вера Анатольевна обрадованно кивает. Представляю, как ей все здесь надоело, когда нельзя никуда выйти.

— Я не хочу ехать! — вдруг заявляет Валерия, глядя в свою кружку.

Чертовы женщины! Никогда не могут нормально оценивать сложившуюся вокруг них ситуацию. Но я спокоен.

— Это не есть верно, — улыбаюсь ей. — Здесь вам угрожает опасность. А сидеть взаперти в четырех стенах — совсем уж гиблое дело... Не стоит спорить на этот счет. Завтра вы уедете...

Вера Анатольевна тут же вступает в разговор и объясняет дочери, что здесь им делать уже точно нечего, раз так все плохо складывается. Уверен, она сможет уговорить Валерию в ближайшие полчаса. Я отдаю им почти все деньги, лишь бы не подвергать их серьезной опасности, которая в нашем городе их подстерегает на каждом шагу с того момента, как убили их отца и мужа.

Через час мы едем за билетами на поезд. Оказывается, они смогут выехать уже сегодня; мне будет теперь спокойней.

Сегодня я собираюсь заиметь больше миллиона долларов да заодно убрать Семена.

Съездив к тайнику, загружаю сумку необходимым железом. Я один, а моих противников будет раз в двадцать больше. Вчера я съездил и со стороны отследил, как на склад привезли партию наркотиков, о которой я слышал в офисе Семена. Весь товар пришел на одном грузовике. Днем раньше я наметил точки проникновения на склад. Сейчас склад, забитый товаром, на первый взгляд очень мирным и полезным, охраняется бандитами, как важный государственный объект ментами или военными. Усиленные наряды по четыре вооруженных дробовиками человека контролируют всю складскую территорию, которая совсем небольшая. Всего теперь на территории склада четырнадцать человек из бойцов Семена, и неизвестно, сколько притащится боевиков с покупателями.

Захожу с глухой стороны склада. Через пару минут я уже прячусь за штабелями поддонов. Думаю, что правильно угадал, где находится товар. На территории всего два больших старых деревянных склада. Несколько сараев, какие-то груды металлолома у дальней стены забора. Недалеко от меня проходят охранники, патрулирующие территорию... У них помповики с усиленным магазином и на поясе «пээмы». Судя по экипировке парней и эмблемам на рукавах их форменной одежды, мальчики принадлежат какому-то охранному агентству. Но как бы там ни было, они все равно люди Семена. Ведь большинство охранных агентств для того и созданы, чтобы боевики могли легально таскать стволы.

В стене склада имеются несколько окон в самом верху, но они качественно забиты досками. Скорее всего, раньше этот сарай имел несколько другое предназначение, нежели сейчас. На территории наверняка были два цеха, занимавшиеся распилкой лесоматериалов. Осматриваю стенку склада, обшитую досками. Склад холодный, и доски тут прибиты дюймовые.

К этому я приготовился, и в сумке есть необходимый инструмент. Действовать приходится максимально осторожно и тихо, поэтому возня с гвоздями затягивается. Только через час я могу, отодвинув в сторону три доски, проникнуть внутрь. Что и делаю, пропихнув сначала сумку.

Склад на склад не похож. Скорее это теперь гараж для большегрузных машин. Внутри помещения стоит тягач с прицепом, на котором высится длинный морской контейнер. Я видел этот грузовик, когда он заезжал на территорию, и, значит, я не ошибся в выборе места.

Подыскиваю себе уголок, где я смогу затаиться и дождаться начала передачи груза наркопокупателю. Наверняка в самом начале купцы станут смотреть товар, поэтому располагаюсь поближе к открывающимся створкам контейнера. Устраиваю себе гнездо из металлолома так, чтобы было видно все вокруг, но меня бы с ходу никто не обнаружил. Вытаскиваю из своей сумки все, что в ней есть. А есть у меня много чего... Складываю сумку в несколько раз, и она снова обретает минимальные размеры. Нравятся мне такие сумочки-раскладушки. Можно и в кармане носить, и кучу вещей запихать.

Проверяю оружие, навинчиваю на ствол автомата глушитель. Выкладываю перед собой несколько химических гранат и примериваю противогаз. Кажется, я экипировался достаточно неплохо. Теперь остается ждать.

Нудное это дело и неблагодарное. Всегда в таких случаях в первую очередь начинают закрадываться мысли: а вдруг все сорвется, никто не появится, и так далее. Пытаюсь сосредоточиться на чем-то более хорошем. Но оказывается, что ничего хорошего у меня и нет. И ведь действительно: я бегаю с пистолетиками по городу, стреляют в меня, стреляют; меня пытаются душить конкуренты, я душу коммерсантов, мечтаю заработать, вернее, урвать баснословные деньги. Самое интересное, я совершенно не понимаю, на кой черт они мне нужны... А действительно, на фиг они в таких количествах? Ну, допустим, нагреб я под себя миллионы, купил виллы в разных странах, завел какие-то фирмы, приносящие мне огромные прибыли, поездил по миру, женился, завел детей. Дальше что? Какая истинная цель всей этой моей возни? Хрен ее знает. Построить собственную империю и владеть? Скучно. Какой же, мать его, вывод из всего этого?! По-моему, стоит отложить себе некую сумму, если у меня вдруг случится старость, а пока, как я понимаю себя, мне нужен только адреналин в крови, азарт охотника и кураж игрока в «русскую рулетку». Игрока на крупных ставках — не один из шести, а три... Кажется, все именно так и есть.

Более-менее разобравшись очередной раз в себе, успокаиваюсь и, плюнув на все, закуриваю. Дым от сигареты пускаю по стене сарая вверх. Если кто-то и учует, так тому и быть. Я уже уяснил для себя, что мне требуется, а значит, плевать на данный момент. Если меня обнаружат раньше времени, перестреляю охрану и спалю к чертям грузовик. Семена я могу теперь найти в любой момент. Моя месть от меня никуда не уйдет. Но никто из охраны так и не засек посторонних запахов, и я спокойно дожидаюсь, когда на территории склада появится новый народ.

Распахиваются ворота, и внутрь помещения проходит целая группа парней. Вся толпа вооружена до зубов. Но все боевики, как Семена, так и покупателя, ведут себя мирно и не настороженно. Проходят к контейнеру. А вот и мой знакомый по имени Сеня. Козел, твою мать! Ты, Сеня, козел! — усмехаюсь я про себя.

Имеется в этой группе и мужик с большим дипломатом. Нет никаких сомнений, что в чемоданчике именно та сумма, которая способна обеспечить мне старость. Опять же, если эта старость случится…

Я даже не хочу считать прибывший народ. Какой в этом смысл? Я ведь не занимаюсь статистикой.

Натягиваю противогаз и швыряю в толпу несколько гранат с газовой смесью. Умеют французы делать подобные штучки. Весь народ вырубается моментально. Происходит все очень тихо и спокойно. Боевики вдруг закашляли, схватились за свои глотки, роняя при этом оружие, и как тряпки валятся на землю. Бесшумно отстреливаю двоих оставшихся возле выхода у ворот.

Пробегаю мимо грузовика и лежащих без сознания парней, выскакиваю на улицу, на ходу стаскивая противогаз. Автомат у меня в руке, но опущен стволом вниз.

— Давайте все сюда!! — ору охранникам, столпившимся возле вахты. — Поможете с сортировкой!

Те молча переглядываются между собой и выполнять мою команду не спешат.

— Кто сказал? — рявкает детина от ворот.

— Сейчас Сеня выйдет, он тебе, мудаку пришибленному, объяснит, что и кто сказал! — рычу я. — Давайте все сюда! На хер там уже охранять, мать вашу, уроды!

Вот теперь я считаю. Пятеро охранников уже полегли возле грузовика, но ворота в ангар закрыты, и никто из наружных «овчарок» не видит, что произошло в сарае. Вся охрана складов после моих ласковых слов ринулась выполнять приказ Семена. Кто таких баранов воспитывает? Даю им подойти поближе и, вскинув автомат до плеча, расстреливаю всех до одного. Сначала длинными очередями, чтобы не было ответных выстрелов, а затем добиваю тех, кто еще шевелится.

Возвращаюсь в сарай. Тут все та же идиллия. И мальчикам этим повезло гораздо больше, нежели остальным охранникам. Открываю большой чемоданчик. Доллары. Много пачек долларов, и все они насквозь фальшивые. Причем очень грубая работа.

Да, Сеня, тебя бы здесь все равно угрохали на сто процентов, если бы не я. Впрочем, о ком ты беспокоишься, Антоныч?

Отшвыриваю дипломат и вновь выхожу во двор, предварительно обыскав карманы приезжего мена и его подручных. Во дворе я видел несколько машин, и теперь у меня есть ключи от одной из них. Это новенький «пятисотый» «мерседес» со сто сороковым кузовом. Пузатая и очень престижная тачка. У москвича также забираю все документы на машину, паспорт и водительское удостоверение. У него была и трубка сотового телефона. О таком средстве связи я уже слышал, но видел их в руках у очень немногих крупных бизнесменов. Пока это у нас в стране довольно дорогая игрушка. Значит, за наркотой прикатили из Москвы. Нет сомнения, что наш портовый город удобен для поставки любого незаконного товара из-за бугра, особенно если провозить его оформленным. Под гуманитарную помощь могут протащить все, что угодно.

Достаю из «БМВ», сопровождавшей «мерседес», канистру бензина и обливаю весь товар, находящийся в контейнере. Туда же зашвыриваю и фальшивые доллары. Поджигаю и ухожу, не забыв пристрелить москвича. Семена я забираю с собой. Денег я сегодня не добыл, зато захватил своего главного врага, и у меня теперь есть отменная возможность с ним побеседовать с глазу на глаз.

Загружаю Сеню в «мерседес»и устраиваюсь за рулем. Все-таки неплохо я здесь все устроил. Москвичи будут после искать Сеню, как виновника гибели их человека, а Семен тем временем исчезнет. Очень неприятный момент в судьбе Семеновской бригады...

Глава двадцать первая

Сеню я обработал очень качественно. Сейчас он валяется на земле и сам на себя не похож. Открываю дверцу «мерседеса» и присаживаюсь на сиденье, не забираясь внутрь. Закуриваю.

Семен начинает шевелиться. Жду, когда он полностью придет в себя.

— Ты как, оклемался? — интересуюсь я, видя, что Сеня уже осознанно смотрит на меня.

— Ты дьявол, Антоныч, — сипит он, пытаясь сплюнуть разбитыми губами кровавую тягучую слюну.

— Думается мне, что ты, парень, ошибаешься, — серьезно возражаю ему. — Твой упрек не по адресу... пока.

Сеня пытается приподняться, но я, покачав стволом пистолета, заставляю его передумать.

— Что тебе надо? — хрипит Семен.

— Ты и сам все знаешь. Ты мне уже не интересен. Я хочу знать, где сейчас находится Чахлый.

— Ты все равно убьешь меня, — обреченно качает он опущенной головой.

— Без колебаний, — соглашаюсь с ним. — Точно так же, как ты убил моих друзей.

— Я их не трогал! Это работа людей Чахлого! Сеня пытается перевести стрелки на положенца. Но для меня уже безразлично, кто из них убивал моих людей. Они оба заодно, и этого для меня достаточно, чтобы убивать всех их компаньонов. Но Семену пока можно об этом и не говорить.

— Хорошо. Допустим я тебе поверю. И как ты собираешься доказать мне свою непричастность? — протягиваю Сене соломинку.

Он тут же за нее хватается:

— Я могу тебе помочь разобраться с Чахлым. Он сам тебе обо всем расскажет. И еще... Твои парни ведь не все погибли. Только Джон. Его атаковали с двух машин и накрыли очень плотно, уцелеть было невозможно... А вот Михаил и Сергей выжили и сейчас находятся в тюремной больнице...

Вот это для меня действительно новость. Выходит, парни живы. Серега жив! Жаль Джона, его Валерия сейчас, наверное, уже в Австрии. Жаль, черт возьми!

— Я проверю эту информацию. Так где Чахлый?

— Он уезжал на неделю в Москву и должен уже вернуться. Ты сможешь найти его в пригороде. Он встречается там раз в неделю со своими бригадирами на территории одного дома отдыха в сауне. Это бывает по пятницам...

Семен подробно объясняет, где найти тот дом отдыха.

— Может быть, ты знаешь, почему Серегу и Михаила держат на тюремном кресте, если стреляли в них? — интересуюсь я.

— Элементарно. У обоих нашли стволы с их пальчиками. Оружие, как ты сам знаешь, у нас в стране нелегально без «срока» не носится...

Сеня уже пытается иронизировать. Наверное, ему показалось, что все самое страшное уже позади. У меня вполне благодушный вид. Надежды юношей питают... Семен — поганая сука, и зря он успокоился...

— Ты знаешь, что ты мне должен? — интересуюсь я.

— Сколько? — не возражает Семен.

Сейчас он станет соглашаться на все, лишь бы уйти отсюда своими ногами.

— Триста тысяч. Баксов, разумеется.

Семен трогает свое разбитое лицо и морщится от боли.

— Дай закурить, — просит он.

Бросаю ему сигарету. Зажигалка у него в кармане есть. Сеня закуривает. Молчит.

— Может, мне повторить вопрос? — начинаю я раздражаться. Пора уже заканчивать эту комедию.

— Это большие деньги, чтобы их собрать так сразу... — отвечает он.

— У тебя есть банк, — напоминаю ему.

Сеня глубокими затяжками быстро докуривает сигарету до фильтра и отшвыривает окурок в сторону.

— В банке нет наличных.

Усмехаюсь. Даже сейчас он пытается меня обмануть.

— У твоего сраного банка пятнадцать обменных пунктов по всему городу, — напоминаю ему. — Это если ты забыл. Возможно, сейчас уже больше, у меня старая информация, но и с этих точек ты легко наберешь половину суммы. Где конкретно у тебя бабки, кроме банка?

— Я думаю, что дня через два я смогу собрать, — кивает он понуро.

— Ты не ответил на мой вопрос! Где?!

— У меня дома... Но я тебе уже говорил, что смогу помочь... Сам ты во всем сейчас все равно не разберешься, — пытается выгадать он время.

— А я вот думаю, что вряд ли тебе придется мне помогать, — тихо говорю я.

Сеня удивленно вскидывает на меня глаза. Я стреляю ему в голову.

— Пошел ты, Сеня, к черту! — говорю я уже трупу и, обойдя капот «мерса», устраиваюсь за рулем.

Зараза! Совсем забыл! Снова выбираюсь из машины и обыскиваю тело. После сбрасываю его в воду, нагрузив пиджак камнями.

Где Семен жил, я знаю и решаю посетить его жилище. Возвращаюсь в город на угнанной тачке, вернее конфискованной, что, впрочем, положение вещей не меняет. Я сверялся с фото на добытых мной документах и думаю, что у гаишников вопросов не будет. Чем-то мы внешне схожи с бывшим владельцем роскошной тачки.

Семен жил на Лиговском проспекте в старом доме еще дореволюционной постройки. Открываю его квартиру и захожу. Осматриваюсь. А неплохо парень жил, любил комфорт и уют. Семь комнат на одного человека — это, конечно, многовато. Квартира отделана на уровне, но я сюда зашел не любоваться. Устраиваю быстрый обыск. В кабинете в капитальную стену вделан небольшой сейф. Все-таки я слегка погорячился с парнем, отправив его в ад раньше, чем узнал код сейфа. Досадно. Пробую подобрать код сам, но так ничего и не добиваюсь. Немного повозившись с железным ящиком, плюю на это дело и выхожу к своей машине. Чуть позже я сюда вернусь с необходимым инструментом. А пока еду в ресторан к Кормильцеву.

— Семена больше не будет, — объявляю ему, заходя в кабинет.

Тот моему визиту не удивлен.

— Вы его... — не договаривает он, изумленно глядя на меня. Коммерсант удивляется лишь скорости, с какой Семена не стало.

— Именно так, — киваю ему. — Все, в общем-то, и шло к тому. Но я вдобавок узнал от Сени, что двое моих друзей сейчас находятся в тюремной больничке. Мне нужно срочно вытащить их оттуда. Мне нужна ваша помощь и ваши связи.

Кормильцев задумывается. Закуривает сигарету. От моего предложения помочь мне бизнесмену не отказаться, и он сейчас, скорее всего, обдумывает реальные ходы в этом деле. Я наливаю себе минеральной воды.

— Это очень сложно, — наконец говорит он. — Дай мне время, Антоныч, я должен все разузнать.

— Я позвоню, — киваю ему и поднимаюсь на ноги.

— Антоныч, — останавливает меня Кормильцев, — но меня все равно будут трясти люди Семена!

— Это будет недолго. Обещаю. И желательно, если бы ты узнал мне адреса ближайших Сениных помощников.

— Без проблем! — улыбается директор. — Я в курсе, что они все являются учредителями той или иной фирмы в городе, а поэтому за пару дней пробью через мэрию все их данные.

— Как только ты решишь этот вопрос, мы сразу подумаем, что у нас будет дальше, — киваю ему.

— Еще минутку, Антоныч, — Кормильцев поднимается и идет к сейфу. — У меня здесь кое-что есть для тебя.

Он достает деньги. Это та часть, которую мы обговаривали ранее.

— Возможно, эти деньги пригодятся тебе, чтобы вернуть моих друзей.

— Это не те деньги, Антоныч, — говорит директор и протягивает мне пачку «зеленых». — Там потребуются гораздо бо́льшие суммы...

Забираю бабки и, кивнув напоследок, ухожу. У меня есть один день для отдыха и подготовки к поездке за город. Для начала нужно смотаться и на месте решить, где мне предстоит капитально поработать в эту пятницу.

Сегодня здесь должен появиться Чахлый. Если мне повезет, я смогу грохнуть не только его, но и всех близких подручных авторитета. Сижу в машине на достаточном удалении от въездных ворот дома отдыха. Меня трудно заметить, я же наблюдаю за дорогой в бинокль. Время тянется, как всегда, слишком томительно. Но вот появились первые ласточки. Со стороны трассы, от города, сворачивает серебристая «БМВ» и заезжает в ворота.

Сауна расположена в отдельном деревянном домике, сделанном под стильный небольшой коттедж. Ничего не скажешь, удобное место для встреч.

Проходит еще час, и во дворе набирается достаточно машин. Решаю выждать еще минут двадцать и действовать. Кажется, собрались уже все. Выждав, еду к сауне. Все пространство парковки перед домиком забито машинами. В основном это иномарки самых престижных моделей. Охрана авторитетов собралась в «мерседесе». Подхожу к ним.

— Здорово, пацаны! — приветствую их весело, видя настороженные взгляды в мою сторону.

— Ты по делу? — хмуро интересуется бычок, сидящий за рулем. В открытом окне вижу еще три рыла молодых боевиков.

— А как же иначе? — усмехаюсь я. — Чахлый здесь?

— Здесь... А ты?

Парень не договорил. Выхватив из-под куртки пистолет с глушителем, дырявлю всех, находящихся в салоне «мерса».

Тревожно осматриваю окна сауны. Они плотно чем-то задрапированы, и вряд ли кто-то меня видел и рассмотрел, чем я тут занимаюсь. До самого корпуса дома отдыха расстояние значительное, и он закрыт от меня деревьями. Иду к дому. Входная дверь, естественно, закрыта. Приходится нажимать кнопку звонка. Через минуту чувствую, как меня пристально разглядывают в глазок. Дверь открывается.

— Тебе кого? — без выражения интересуется служащий бани.

Банщиком я бы его не назвал. По виду здоровяка это еще тот головорез. Могу судить по его тюремным наколкам, которые видны по всему обнаженному торсу.

— Все собрались? — хмуро интересуюсь в свою очередь.

— Да ты от кого, парень? — бычится татуированный банщик.

— От Семена, — говорю я и прохожу внутрь.

Банщик сторонится. В тамбуре никого не вижу. Удобная рукоять финки выскакивает из рукава мне в ладонь, и я, развернувшись, всаживаю тонкое лезвие в солнечное сплетение банщика. Он широко открывает рот, вздрагивает всем телом и оседает на пол. Оставляю пику в его теле. Закрываю за собой входную дверь. Посторонние сейчас тут не нужны. Прохожу внутрь дома.

В комнате отдыха, действительно похожей на комнату, никого нет. Видимо, народ перед серьезным базаром решил пока смыть грязь. Вряд ли эти парни когда-либо отмоются.

Достаю из-под куртки «узи». Глушитель у него отменный, в этом я уже убедился. Захожу в помещение с бассейном. Четверо парней находятся в воде.

Расстреливаю их за пару секунд. Закуриваю и жду, когда появятся из сауны остальные. Лезть к ним неохота. Попарюсь как-нибудь в другой раз.

Со следующей партией кандидатов в жмуры проблем также не возникает. Братва собралась на серьезный разговор, поэтому телок в сауне нет. И мне легче работать без лишних жертв.

Стою и с интересом всматриваюсь в лицо Чахлого, который нервно кутается в простыню. Он не отрывает от моего лица своих бесцветных глаз.

— Все-таки появился... — проговаривает он с сожалением и заходится туберкулезным кашлем.

— Зашел, Чахлый... — поправляю его. — Я ведь пока не привидение, чтобы тебе являться.

— Это я уже заметил, — соглашается старик, бросив взгляд на тела своих корешей. — Мясорубку ты устроил тут капитальную.

— Пойдем, поговорим, — показываю ему на выход.

Пропускаю авторитета вперед. Заходим в комнату отдыха. Чахлый садится на диван, берет со стола сигареты, закуривает. С виду он совершенно спокоен и даже демонстративно наливает себе в чашку заварки, показывая, что руки у него не дрожат.

— О чем-то хотел спросить? — интересуется Чахлый, делая несколько глотков.

— Вообще-то личных вопросов к тебе уже нет. Одно только мне интересно: кто же тебя, такого волчину, поддерживает в Москве?

— Вот со временем, может быть, и узнаешь, если вперед не сдохнешь, — усмехается он. — Пусть меня и не будет, но тебя, Антоныч, все одно достанут.

Я даже не успел удивиться и среагировал лишь на резкое движение руки старика. Не отклони я корпус чуть в сторону — и лезвие, запущенное этим старым ублюдком, могло бы меня прикончить. Инстинктивно два раза нажимаю на курок, и Чахлый отваливается на спинку дивана с дырками в груди и в башке. Смотрю на то, что у меня за спиной. Лезвие стилета с тонкой ручкой глубоко ушло в деревянную панель стены. Откуда Чахлый достал эту штуку? Не в заднице же он таскал ее с собой в сауну? А впрочем, от матерого зека можно ожидать всего. Делать мне тут больше нечего. Убираюсь к своей машине.

В городе отзваниваюсь тем парням, которые меня не предавали. Договариваюсь с ними о встрече. Пока Кормильцев узнает по своим каналам, как можно вытащить моих друзей из тюрьмы, я займусь восстановлением своей маленькой империи. На этот раз все будет гораздо жестче и серьезней.

Глава двадцать вторая

Первую «стрелку» я забил Жуку, бригадиру Семеновской кодлы. Со мной приехало восемь человек на четырех машинах. Мы встречаемся в пригороде на Петергофской трассе. С Жуком привалило пять машин.

— Что ты хочешь, Антоныч?

Жук интересуется не грубо, но резко. Он должен выглядеть крутым перед своими парнями. Пусть выглядит...

— Я возвращаю все свои конторы, которые некоторое время находились под вашим контролем. В счет того, что вы дербанили с них лавэ без моего разрешения, ваша бригада с этого дня теряет часть своих фирм, — говорю спокойно, самым обыденным тоном. — Плюс к этому ты, Жук, собираешь мне триста тысяч баксов. Это штраф за то, что вы влезли в мои дела. Надеюсь, тебе все понятно?

Жук в растерянности оглядывается на своих парней. Те мои слова слышали и также находятся в некотором замешательстве.

— Ты все-таки зря так буровишь, Антоныч, — начинает Жук. — Мы тоже в состоянии
решать любые проблемы, — угрожает он.

— Вот это вряд ли, — задумчиво говорю я. —
Вам, пацаны, — обращаюсь к бойцам Жука, —
предлагаю работу в своей команде. Это все, что
я могу для вас сделать...

— Ты че? — начинает Жук, но в этот момент из его башки вылетают ошметки крови,
мозгов и прически. Так работает мой снайпер.
Ни я, ни мои парни даже не пошевелились.
Жук валяется у моих ног.

— Предложение остается в силе в течение
недели, — говорю опешившим боевикам Жука. — Ваших кентов можете забрать с собой.
Работа такая же, и лавэ получаете не меньше.
Плюс премия.

Садимся в машины и уезжаем. Нас провожа-
ют удивленные взгляды пятнадцати пар глаз.
Я не собираюсь вести войну против всех людей
Семеновской бригады. Это будет не столько утомительно, сколько бесперспективно. Пока они
напуганы и строят догадки, что случилось с их
«папой», мне легче забрать пацанов под себя.

За две недели дела стали потихоньку нала-
живаться. Несколько человек из бывшей команды Семена пришлось все-таки завалить, чтобы

не сеяли смуту, и это ускорило процесс перехода ко мне остальных боевиков.

Моя бригада растет теперь, словно снежный ком, и наращивает мускулы. Кормильцев занимается решением вопроса об освобождении моих друзей, и это дело должно, по его словам, решиться положительно. Опять же Кормильцев свел меня с серьезными чиновниками во властных структурах города, и я уже уверен на сто процентов, что перед моей бригадой открываются совершенно новые горизонты, недосягаемые для простых смертных. Это качественно новый уровень — сверхдоходы, огромные перспективы в финансах! В общем, говорить об этом долго и утомительно. Легче делать...

Дел у меня теперь столько, что не хватает никаких часов в сутках. Мой сотовый разрывается от звонков на части, и я могу отдыхать от них лишь тогда, когда ненадолго ставлю мобильник на подзарядку или во время четырехчасового сна.

Наконец суд вчистую оправдывает Серегу, и я встречаю его, как и положено встречать в таких случаях лучшего друга. Для Серого у меня уже куплена квартира в центре города, он получает в подарок «шестисотый» пузатый «мерседес» и миллион баксов в швейцарском банке.

Парень просто охренел от свалившихся на него перемен.

В первые дни я не спеша вводил Серегу в курс всех дел бригады, и вскоре он уже занимался делами наравне со мной. Через полмесяца должен будет выйти и Михаил. В тюрьме он сейчас живет так, как хочет, и парню не хватает только воли. У Мишки есть все, даже блядей ему доставляют по первому требованию. У пацана отдельная камера, музыка, телевизор, компьютер и сотовая связь. Ежедневно разговариваю с ним по трубе. Михаил уже почти в курсе, что у нас происходит, ему не терпится выбраться из-за решеток и заняться привычной работой.

Жена Марка вернулась из-за бугра и теперь свободно общается со своими друзьями, а Валерия снова посещает институт. Но все-таки для подстраховки на первое время я приставил к ним охранников. Но так, чтобы это выглядело ненавязчиво.

Благотворительность не обошла стороной и нас. Моя бригада содержит несколько детских домов, помогает детским больницам в покупке за границей дорогостоящего медицинского оборудования и препаратов. Также поддерживаем один из кукольных театров. Эту деятельность мы не афишируем, и все якобы исходит от коммерсантов разных фирм.

Как я и планировал ранее, Серега сейчас занимается становлением сети аптечного бизнеса. Один из моих новых подручных, Тюля, занят всем, что связано с горючкой. Я же решаю, что пора влезать в дела и покрупнее. У меня есть хорошие мысли, но пока это только некие расплывчатые проекты, и их необходимо начинать воплощать в жизнь. Естественно, что придумал я это лично под себя, потому что скоро мне опять станет скучно.

Объявляю Сереге и Тюле, что хочу свалить на пару недель из города. Мне интересно, справятся ли они здесь без меня? Парни уверены в своих силах, но недоумевают, куда это я намылился? Ничего объяснять им не хочу. Не хочется сглазить, да и нет у меня еще четкого плана. Поэтому пока благоразумно молчу.

Снова в воздухе пахнет чужими местами, и снова я за чертову кучу километров от родного города. Город у залива Петра Великого. Нет, это не Петербург. Отсюда до океана уже рукой подать. После залива Японское море, затем Корейский пролив и только потом Тихий океан. Можно, конечно, и поближе, через Сангарский пролив, иначе называемый проливом Цугару. Но Тихий океан мне до фонаря, а вот приглядеться к городишке Владивостоку мне интересно. А почему бы и нет? Дешевые японские автомобили, электроника и прочее. Здесь есть над чем подумать.

Во Владике я оказался рано утром. Первым делом нахожу квартирное агентство. Просмотрев варианты, посоветовавшись с менеджерами, еду смотреть квартиру в центре. Нормальный дом, второй этаж, евроотделка в трех громадных комнатах и в гостиной камин. Такое мне подходит. Камины я люблю.

Возвращаемся в офис агентства и подписываем договор. Отлистываю немаленькую сумму в баксах за два месяца и, забрав ключи, на такси возвращаюсь в свое новое жилье.

Багажа у меня немного: одна сумка с предметами первой необходимости. Оружия у меня с собой нет, так как я летел сюда самолетом. Без волыны в наше время я чувствую себя немного раздетым и обездоленным, но это дело поправимо. Остаток дня трачу на осмотр города. Достопримечательности Владивостока меня не интересуют — ни архитектурные, ни исторические. Я не турист. Мне интересны как раз самые злачные места.

Узнаю, где находится толкучка, и решаю завтра с утречка ее посетить. Заметил, что в городе полно китайцев и заведений, которые они держат. Помотавшись пешком по местным горкам, убеждаюсь, что здесь обязательно нужен свой транспорт.

Ближе к вечеру, когда стемнело и пошел дождь, решаю наконец зайти куда-нибудь поужинать. Устал я сегодня до чертиков. Ливень разошелся не на шутку. Прячусь от холодных потоков воды, забегая в ближайшую арку жилого дома. Упругие струи дождя падают наискосок: при таком варианте никакой зонтик не спасет. У меня зонта и нет. Отлавливать же такси в этой не на шутку разбушевавшейся стихии — себе дороже. Пара минут на тротуаре, открытом всем ветрам, — и можно будет смело покупать новый костюм.

В арке ветра нет, и здесь не только я прячусь от дождя. В теплые пальто кутается пара старушек. Возле дальней стенки веселится компашка молодняка и некая дева, с отпечатком ее профессии на лице, с тоской смотрит на бурлящие потоки на мостовой. Плащ у девушки распахнут, и видны приятные стройные ноги в светлых чулках, коротенькая юбчонка и распирающая белую кружевную блузку шикарная полная грудь, стоящая торчком. Талия у девчонки чуть ли не осиная, и волосы, естественно, крашенные под блондинку, падают пышными локонами на плечи. Ух ты! Вот только с макияжем девчонка, по-моему, переборщила.

Рассмотрев проститутку, отворачиваюсь и прикуриваю сигарету. Мой плащ, сделанный в Англии, где люди знают толк в одежде для плохой погоды, даже не успел промокнуть, хотя я и пробыл под ливнем достаточно. Зато вымокла шляпа. На проезжей части машины еле ползут, так как щетки не успевают справляться с льющей на лобовое стекло водой.

— Разрешите прикурить? — раздался голосок девушки сбоку от меня.

Поворачиваюсь. Передо мной та самая путана с осиной талией и тонкой незажженной сигареткой в длинных ухоженных пальчиках с ярко накрашенными ногтями.

— Без проблем, — улыбаюсь ей и достаю зажигалку.

Подношу девушке огня, и она довольно изящно прикуривает.

— Издалека к нам приехали? — интересуется она с легкой улыбкой.

— Разве это так заметно? — удивляюсь ее проницательности.

— Мне — да, — загадочно говорит девушка.

Черт его знает, почему мне так везет на женщин, подобных этой. Может, это в силу моей профессии? А собственно, какая разница?

— Ну а вы, наверное, по совместительству работаете экстрасенсом?

Девушка показывает мне в широкой улыбке идеальные, слегка влажные белые и ровные зубки. Может, снять ее на вечер?

— Почему по совместительству? — вынуждает она меня на откровенный разговор.

— Мне так кажется... — уклоняюсь от прямого ответа.

— Уверена, вы ошибаетесь, — смеется она искренне. — Меня пригласили на небольшой банкет, устроенный моим шефом, но вот из-за этого дождя, — она кивает в сторону залитой водой улицы, — я скорее всего так туда и не доберусь.

— Вы работаете секретарем? — начинаю менять свое первоначальное о ней мнение.

— Да. Уже месяц, — подтверждает она. — До этого я жила с родителями на самом пустынном острове, какой себе можно только представить, и ужасно там скучала. У меня папа военный, и мы долгое время с мамой провели на необитаемых островах, где отец служил. Теперь вот его перевели сюда, и Владивосток для меня словно Париж. Пока я в восторге от всего, что здесь вижу. Но это, конечно, пройдет...

— Я действительно вначале спутал вас с дамой этакого, как говорят, легкого поведения, — признаюсь ей.

— Вы мягко высказались, — смеется девушка. — Но неужели я действительно так выгляжу?! — тут же ужасается она.

— Ну-у... В общем-то, да.

— Что нужно изменить? — доверительно интересуется она.

— Все. Грим. Макияж. Его на вас слишком много, — говорю я и ищу глазами куда бы выкинуть сигарету. Урны нет. Бросаю окурок в угол арки. — И слишком короткая юбка, а кроме того, вы блондинка!

Девушка в задумчивости морщит носик.

— У меня неплохие ноги, — говорит она, словно оправдываясь.

— Отличные ноги! — смеюсь я.

Хохочем оба. Старушки перестали осуждающе рассматривать молодняк и теперь укоризненно смотрят в нашу сторону. Интересно, почему старики не любят, когда молодежь веселится, и чужой смех их раздражает? Наверное, это тоска по ушедшим безвозвратно молодым годам и грусть о быстро пролетевшей жизни.

— Теперь уже поздно что-то исправлять, — сокрушается девушка.

— В таком случае вам стоит держаться на банкете более независимо, — советую ей. — Меньше пейте и строго отшивайте нахалов.

— Я так и сделаю, — кивает она. — А вы мне так и не ответили. Откуда вы приехали?

— Это тайна, покрытая мраком и дождем, — шучу я, сделав соответствующее словам лицо.

— Так таинственно! Просто граф Монте-Кристо! — дурашливо восхищается она. — Как я вас сразу не узнала, мсье?

— Это была ваша досадная оплошность, мадемуазель, но...

Не успеваю договорить, так как мои слова прерывает резкий сигнал выезжающего из подворотни джипа. Широкий внедорожник занял почти все пространство арки. Молодняк жмется по другой стороне вдоль стеночки, а бабки медленно отходят в нашу сторону. Бегать они не могут.

— А ну давай, старые, живее топайте! — рявкает на бабулек бритоголовый бычок, высунувшись из окна машины.

Джипарь еще раз звонко подал сигнал. Старушки аж подпрыгнули на месте.

— Хамье! — возмущается моя знакомая и вжимается в стенку рядом со мной.

Девушка с негодованием смотрит в сторону джипа. Машина медленно проезжает вперед. Бритоголовая ряха все еще торчит в окне, с интересом разглядывая девушку.

— А ниче у тебя коза, мужик! — скалится он мне. — Продери ее сегодня и от моего имени! — Он весело ржет, и второй такой же бык за рулем не отстает от своего дружка. Они даже слегка притормозили напротив нас. Быстро шагаю вперед и коротко бью парня в нос. Тут же открываю дверцу машины и коротким рывком вышвыриваю быка в арку. Он гулко ударяется башкой об стену и затихает на асфальте. На одном движении влетаю в джип и ударом ноги в голову припечатываю сидевшего за рулем головой о стекло дверцы. Этот дурак хотел достать пистолет. Пинком вышвыриваю и этого мудака из машины. Водила падает, пугая малолеток. Устраиваюсь за рулем и улыбаюсь девушке, глядящей на меня расширенными от удивления глазами.

— Карета подана, мадемуазель! — приглашаю ее.

Секунда — и девушка уже в машине рядом со мной. Быстро же она принимает бесшабашные решения! Видит Бог, она мне нравится! Давлю на газ, выскакивая на проезжую часть. Подрезаю тихо плетущуюся «девятку» и рулю хрен поймешь куда.

— Вы... Вы всегда так скоры на расправу? — спрашивает моя спутница, оглядываясь назад.

— Меня зовут Антоныч, — представляюсь я вместо ответа.

Девушка подозрительно смотрит на меня.

— Думается мне, что там, где вас знают, эта кличка наводит ужас, — произносит она серьезно.

— Именно так, — киваю я, закладывая вираж на узкую улочку, ведущую вверх. — Я бы мог подбросить вас до нужного места.

Девушка вроде бы вздыхает. А может, мне показалось.

— Нам совсем в другую сторону, — вновь улыбается она. — И знаете что... — она делает паузу.

— Я весь внимание...

— Я хотела бы пригласить вас с собой. Лучшего телохранителя для короткой юбки и скверного макияжа мне не найти, — выдает она неожиданно. — Если вы, конечно, никуда не торопитесь.

Глава двадцать третья

Оказывается, моя знакомая работает секретарем у банкира. Зовут девушку Таня. Джип мы бросили где-то в городе и на такси добрались до ресторана, где и собралась вся банкирская компания. На входе нас встречает усиленная охрана службы безопасности банка. Это видно по форменной одежде парней и их нашивкам. Охранники вооружены пистолетами. Татьяна проводит меня внутрь, представив как своего провожатого. Несколько косых взглядов от охраны в мою сторону, быстрая проверка на предмет несанкционированного проноса оружия — и этим дело ограничивается.

Заходим в банкетный зал. Несколько длинных, полностью сервированных столов, достаточно солидного народа, сверкающего перстнями, бриллиантами и дорогой одеждой. К нам, улыбаясь, устремляется мужчина лет сорока пяти. На нем превосходный костюм, и сам мужик выглядит подтянуто и по-спортивному.

— А я и не знал, Танюша, что у вас есть собственная охрана, — смеется он.

Это звучит вроде бы как шутка, но по быстрому взгляду мужика в мою сторону понимаю, что он издевается надо мной. Все понятно. Злое соперничество. Этот тип и есть банкир, который наверняка положил глаз на Татьяну, взяв ее в секретари. Хочет трахнуть девчонку во что бы то ни стало. А впрочем, может, уже трахает. Какая из Тани секретарша, если она, по ее словам, никогда не работала в этой области и даже не училась на секретаря? Два года назад она закончила школу, но, судя опять же по ее рассказам, учеба у девушки была понятием номинальным. При частых перемещениях папика Татьяны по разным гиблым гарнизонам страны, где могут жить только военные да дикие звери, окончание школы для Тани вещь сугубо формальная.

— Это Антоныч. Мой хороший друг, — представляет меня девушка. — А это Сергей Анатольевич, мой шеф.

— Приятно познакомиться, — сухо кивает мне банкир. В заколке его галстука сверкает крупный бриллиант. — Проходите в зал, располагайтесь...

Я ему не отвечаю. Банкир шустро хватает Таню под руку и, не обращая на меня внимания, что-то быстро говоря девушке на ухо, уводит ее с собой. Таня лишь оглянулась на меня с извиняющейся улыбкой. Остаюсь один. Пока за столы не приглашают. По-видимому, еще не все гости собрались на торжество. Официантки носят по залу напитки на подносах, а я присматриваюсь к публике и не теряю из вида Татьяну. Банкир уволок девушку к дальнему концу зала и что-то оживленно ей рассказывает.

— Вы работаете с Вессальским? — подходя ко мне, интересуется женщина средних лет, вся увешанная драгоценными побрякушками.

— Я с ним даже не знаком, — усмехаюсь я. — Нас только что представили друг другу. — Думаю, не ошибаюсь, женщина говорит именно о банкире. Хрен его знает, кто такой этот Вессальский?

— Да? — удивлена она. — Очень интересно! А позвольте спросить, какой у вас бизнес?

— Как выразился господин банкир, я занимаюсь охраной...

— О-о! Так у вас охранный бизнес! Очень интересно! Мой муж, чтоб вы знали, тоже занят этим! У него очень солидные клиенты, как в частном порядке, так и от компаний...

— Но я не из вашего города, — пытаюсь ответеться от говорливой тетки.

— Очень интересно! — радуется она моему сообщению. — И вы хотите открыть у нас свой филиал?

Меня спасает то, что всех гостей зовут к столу.

— Вряд ли я захочу здесь работать. Извините, мне нужно найти свою знакомую, — говорю женщине и тут же отваливаю в сторону.

Сквозь толпу, устремившуюся к столам, ко мне спешит Татьяна.

— Он меня совсем заболтал, — сообщает девушка с ходу. — Предлагает мне мероприятие у себя дома.

— Это вам решать, — пожимаю плечами. — Он ведь ваш шеф.

— Да к черту его! — смеется она. — Я не держусь за эту дурацкую работу. Тем более он наверняка соврал, что станет мне платить со следующего месяца три тысячи долларов.

— Он банкир, возможно, для него эта сумма ничего не значит.

— А, все равно, — машет Таня рукой. — Пойдемте к столу.

Я не совсем понимаю, на кой я вообще-то сюда приехал. Скорее всего лишь в надежде ближе познакомиться с симпатичной девушкой. У меня, как и у банкира, одна мысль: трахнуть эту девчонку. Было бы совсем неплохо для первого дня в городе. Усмехаюсь сам себе и иду с Таней за стол.

Вечер проходит ровно, как и положено в солидной компании, но под конец народ начинает оживляться, накачиваясь спиртным, и становится все более развязней.

— Давайте отсюда уйдем, — тихо предлагает Таня на ухо, когда я наклоняюсь над своей тарелкой. Мы уже давно перешли на ты, и Татьяна успела поднакачаться шампанским.

— Отличная идея, — соглашаюсь с ней. — Мне самому порядком надоело все время что-то жевать.

Девушка прыскает смехом, и мы, поднявшись со своих мест, быстро выходим из зала. Забираем из гардероба свои плащи и выскакиваем на улицу.

Дождина льет не переставая. Похоже, непогода настроилась на долгую кампанию. Таксисты дежурят у кабака в надежде на солидных и «тепленьких» клиентов. Забираемся в машину.

— Я отвезу тебя к себе, — сообщаю девушке строго. — Ты — моя добыча.

— Разве? — улыбается она, отстраняясь от моего плеча. — А я как-то думала, что наоборот!

— Никаких сомнений, — киваю ей и называю таксисту адрес моего нового жилья. По дороге заезжаем в магазин и покупаем продукты. Шампанское также не забыто.

Дома, сбросив пакеты на кухне, привлекаю Таню к себе. Она полностью подчиняется. Раздевать ее я начинаю возле холодильника, а заканчиваю в спальне. Свою одежду я тоже потерял где-то по пути. С Таней заниматься сексом одно удовольствие, потому что мы понимаем друг друга без слов. Через час, отдохнув и успокоившись, идем на кухню.

— Я просто безумно хочу есть! — восклицает девушка, пытаясь шутливо укусить меня за руку.

— Ты хищница, но не забывай, что имеешь дело со зверюгой гораздо крупнее тебя! — пугаю ее.

Девушка, смешно поскуливая, отскакивает в сторону. Нам весело. Делаем большую яичницу с ветчиной. Таня нарезает овощи и быстро готовит салат со сметаной. Едим все, что у нас есть, и запиваем шампанским.

— Послушай, Антоныч, — говорит Таня, насытившись и закурив. — А чем ты действительно занимаешься? Одет ты очень даже прилично и вряд ли ищешь здесь работу, — рассуждает она вслух. — То, что ты не местный, в этом я уже убедилась. Но и в деньгах, судя по снятой тобой квартире, ты не нуждаешься. Наверное, ты крупный бизнесмен из другого региона?

Пусть гадает, раз ей так интересно, я же молчу и, усмехаясь ее рассуждениям, маленькими глотками допиваю свой бокал шампанского.

— Не хочешь икорки? — предлагаю девушке бутерброд.

— Спасибо. Так все-таки, Антоныч, кто ты?

— Спасибо да или спасибо нет? — улыбаюсь ей. — И зачем это тебе?

— Спасибо нет, — смеется она. — А остальное — женское любопытство. Оно не знает границ. Но мне почему-то кажется, что ты, Антоныч, все-таки не коммерсант.

— Если так кажется, то крестись, — напоминаю ей старую русскую примету.

— Не заговаривай мне зубы! — смеется она. — Ты, Антоныч, бандит! Это точно! Я тебя раскусила!

Вот ведь чертовка. Странная у этой Тани интуиция. Она все время бьет своими догадками прямо в яблочко.

— Ну какой же я бандит? — возмущаюсь я вполне правдоподобно. — Негоже девушке так наговаривать на честных людей.

Татьяна грозит мне пальчиком.

— Все как раз наоборот, Антоныч, — возражает она. — Очень некрасиво обманывать слабую и доверчивую девушку. Признавайся сейчас же, кто ты есть! — делает она прокурорское лицо.

Курить я не хочу, есть — уже тоже.

— Сейчас признаюсь... — угрожающе приподнимаюсь со стула. — Но это будет не здесь...

— Как?! Снова в постель?! — притворно ужасается она, поглядывая в сторону спальни. — Ты и так мучил меня почти два часа! Не подходи ко мне, маньяк! Я сейчас закричу!

Но кричит она уже после, когда наступает пик любовной игры. Думаю, этой ночи нам точно не хватит, чтобы насытиться друг другом.

Таня опоздала на работу. Проснулись мы только в половине одиннадцатого утра. Ночка у нас была классная.

— А теперь меня могут выгнать, — без сожаления рассуждала Татьяна, не спеша поднимаясь с кровати. — Или предложат загладить вину через постель, — хмыкает она.

— Пытка тебе не грозит. Я просто убью этого банкира, — говорю, зевая в подушку.

— Вот в это я поверить смогу. Судя по тому, как ты разобрался с теми мальчиками из джипа, убить ты сможешь, — уже не шутя говорит девушка.

Поднимаю на нее глаза. Интересно, что там творится в ее голове.

— А ты все еще считаешь, что познакомилась с гангстером?

Татьяна гладит меня рукой по волосам:

— Я считаю тебя настоящим мужчиной, способным как на серьезные поступки в подворотне, так и на нежности в постели. Ты, Антоныч, просто универсальный мужик, — смеется она, соскакивает на пол и бежит принять душ.

Завтракаем и выходим в город. Тане все не терпится узнать, кто же я такой и что делаю в этом городе. Я же знаю о ней уже многое, если, конечно, верить ее словам.

— Тебе на работу или захочешь отметиться дома? — интересуюсь у нее. Вчера поздно вечером она звонила от меня своим родителям. Отец Тани служит теперь в штабе.

— Я даже не знаю... — сомневается девушка. — Он вчера на банкете так назойливо стал домогаться меня, что вряд ли мне стоит там работать...

— Но ведь тебе нужно на что-то жить?

Выходим к перекрестку. Я собираюсь поймать такси.

— Это все верно, — соглашается она, — но, черт возьми, мне нужны совсем другие деньги. Это трудно, хотя достать их можно...

Голос девушки звучит серьезно, но я не придаю этому значения. Кто сейчас у нас в стране не мечтает о больших деньгах? Всем кажется, что они способны заработать миллионы, но я-то знаю, как достаются подобные суммы, особенно у нас в России. Там, где тысячи долларов, обязательно льется кровь.

— Не думай об этом, — успокаиваю ее. — Мы сейчас поедем с тобой и купим машину. Мне нужен транспорт.

Девушка изумленно смотрит мне в глаза.

— Вот так поедем и купим? — не верит она.

— Точно, — смеюсь я. — Поедем и купим колеса.

— Не нашу машину?

— Что-нибудь японское, — подтверждаю ее догадку.

— Это потрясающе! — веселится моя подружка.

Доезжаем до автосалона. Выбираю машину, не снятую с учета. Это джип «тойота», такой же, какой я вчера изъял у местных братков в подворотне. Тане машина нравится, и, пока я разговариваю с менеджером насчет оформления покупки, девушка забралась в джип и устроилась за рулем. Плачу наличными кругленькую сумму, но это все-таки гораздо меньше, чем просят за такую же тачку у нас в Питере.

Завершив все необходимые формальности, забираю ключи и иду к машине.

— У тебя есть права? — интересуюсь у Татьяны, подходя к дверце джипа.

— Есть, — кивает она.

— Тогда рули, — бросаю ей ключи на колени. — Я нанимаю тебя своим личным водителем.

Девушка мне не особо верит, это я вижу по ее глазам.

— Ты серьезно? — переспрашивает она, когда я, обойдя капот, устраиваюсь рядом на переднем сиденье в качестве пассажира. — Ну, насчет водителя?

Не спешу с ответом, закуриваю:

— Серьезно. Или это предложение тебя обижает?

— Нет, конечно!

— Только я не смогу платить тебе таких денег, какие обещали вам, мадам, в банке.

— Но хоть сто долларов я буду зарабатывать? — улыбается Таня, держась обеими руками за руль.

— Даже сто пятьдесят, — обещаю я, — пока у меня не закончатся личные сбережения.

— Договорились, шеф! — она заводит двигатель и ставит ручку автомата в положение «Д».

Уже через десять минут убеждаюсь, что Татьяна водит довольно прилично.

— Где ты училась ездить?

— Я умею водить все грузовики, какие у нас есть в России. Ездила постоянно на «газике» и на «Волге». Управляю танком, БМП, БТР.

Умею гонять вертушку и справлюсь с легким десантным катером. Пользуюсь аквалангами различных видов, как гражданскими модификациями, так и армейскими. Стреляю из любого стрелкового оружия, умею наводить миномет, безоткатное орудие, стингер. Неплохо разбираюсь в электронике, системах радиолокационного обнаружения и прочее, — азартно выпаливает девушка.

— Я и забыл, что ты дочь полка.

— Я дочь, у которой папа теперь генерал! — гордо заявляет она.

— Ого! — Я и не думал, что папик у нее уже в таких чинах.

— Куда едем, шеф? — весело интересуется Татьяна, довольная произведенным на меня эффектом.

— Тебе не нужно показаться родителям?

— Вообще-то не мешало бы, — соглашается девушка. — Можем заехать к маме. Она сегодня на сутки заступила.

Я уже в курсе, что мать Татьяны хирург и работает сейчас в городской больнице.

— Давай заедем.

Глава двадцать четвертая

После посещения мамы Татьяны едем на толкучку.

Оставив машину на платной стоянке, идем ко входу на черный рынок. По словам Тани, она уже не раз бывала здесь и знает, что к чему.

— У тебя имеется какое-то определенное желание? — спрашивает она.

Затрудняюсь ответить. Стоит ли ей вообще говорить?

— Вообще-то есть. Хочу достать оружие, — решаюсь я на откровенный ответ.

— И зачем оно тебе? — похоже, девушка нисколько не удивлена.

— Хотя бы для того, чтобы защищать в незнакомом городе кое-какие имеющиеся у меня средства. — Это единственная версия, которая сейчас может прокатить для Тани.

— Разве на тебя кто-то собирается нападать?

— Зачем ждать, когда такое произойдет? — хмыкаю я.

— Верно, — она задумчиво кивает головой. — Но мне кажется, что с оружием у нас нет проблем, — вдруг спокойно говорит она. — Я могу достать для тебя все, что ты пожелаешь, кроме бронетехники.

Смотрю, не шутит ли девчонка? Нет. Таня не шутит. Я ей верю, так как в нашей армии, особенно если имеешь массу знакомых из офицерского состава, можно достать для личных нужд все что угодно.

— А если мне нужна импортная игрушка?

— Найдем импортную, — кивает Таня с улыбкой.

Ну и девочку я себе нашел... Не Таня, а прямо склад оружия плюс замашки матерого рейнджера...

— Тогда нам тут делать больше нечего, — развожу руками.

— И когда тебе будут нужны эти железки? — интересуется девушка по-деловому, когда возвращаемся к машине.

Удивительно, но сегодня с утра не упало еще ни капли дождя из свинцового осеннего неба. Можно сказать, уже зимнего неба. Я думал вчера, что дождь зарядит надолго и после уже пойдет снег.

— Желательно сейчас, — отвечаю ей.

— Хорошо. Если ты скажешь, что тебе нужно, и дашь мне немного времени, к вечеру у тебя будет то, что ты хочешь...

Перечисляю ей свои милитаристские вкусы, и Татьяна удивлена окончательно:

— Ты хочешь совершить революцию в Приморье?

— С маленьким арсеналом мне всегда спокойней.

— И как ты думаешь держать все это на снятой в аренду квартире?

Вопрос поставлен верно. Об этом я не подумал.

— У меня нет лучшего варианта, — пожимаю плечами.

— Но ты бы мог снять частный дом. Тогда будет можно все спрятать, — подсказывает она.

Варит у девочки голова, ничего не скажешь.

— Именно так и сделаем. Сейчас съездим и оформим тебе доверенность на машину. Потом ты поедешь и привезешь один ствол. Затем мы уже подыщем дом в аренду.

— А мне можно выбрать для себя что-нибудь стреляющее? — просит она.

— Тебе-то зачем? — удивляюсь.

— Чтобы было... — упорствует Татьяна.

— Хорошо. Подбери себе то, что считаешь необходимым... — разрешаю ей.

Чем дальше я узнаю Таню, тем интересней становится.

После оформления доверенности Таня уехала ненадолго и уже через час была у меня на квартире. Она привезла АПС и кучу запасных обойм и патронов. Заплатил я за этот ствол всего лишь пять сотен баксов. «Стечкин», правда, без глушителя.

— Для себя я взяла вот это, — она показывает карманный пистолетик для высшего командного состава. — Вернее, не один ПОМ, а два, — поправляется она. — С вас шеф, еще триста долларов.

Без слов отдаю ей деньги. Цена оружия мне подходит. Интересно, что еще может эта девчонка?

Обедать едем в ресторан. Таня заезжала домой и теперь одета в неплохой брючный костюм. Но это не важно, в любой одежде она будет выглядеть как королева. За обедом больше молчим. Я пытаюсь осмыслить уже увиденное и услышанное и понять заодно, под каким боком у меня теперь будет находиться девушка. Судя по всему, она не только приятная подружка на ночь, но и довольно решительный человек. Сказывается папашино армейское воспитание. Закончив с едой, выходим к машине.

— Я бы хотел для начала присмотреться к местным автомобильным компаниям, — говорю девушке, когда садимся в машину.

Таня уверенно занимает водительское место.

— Для чего? — спрашивает она, заводя двигатель.

— Сюда идут дешевые японские тачки.

— У перекупщиков все равно дороже. У них нет льгот, — не соглашается девушка со мной. — Если ты интересуешься оптом автомобилей, я, возможно, могу устроить тебе пару нужных встреч...

Н-да, сюрприз.

— Каким образом ты можешь помочь?

— Все очень просто, — говорит Татьяна. — Так тебя интересует именно этот вариант?

— Пожалуй... — киваю я.

— Мы можем прямо сейчас, — девушка смотрит на часы, — поехать к одному моему знакомому полковнику. Это папин друг. Он как раз и занимается автомобилями.

Остается только последовать совету девчонки.

С полковником я мгновенно нашел общий язык. Начальство у вояк, как я погляжу, не теряет зря время и кует бабки, пока они горячие. Теперь у меня есть возможность покупать солидные партии дешевых японских машин и, самое главное, очень дешево переправлять их в Питер, используя военно-транспортную авиацию. То, что вояки меня не кинут, я понял, когда полковник сказал, что все денежные расчеты начнутся после того, как машины загрузят в самолет, а вторую половину стоимости тачек я выплачиваю после их доставки в пункт назначения. Полкан так же хочет иметь постоянный рынок и в любом вопросе идет навстречу. Отлично! Именно так я бы и хотел работать на Дальнем Востоке.

Когда мы с Таней вновь садимся в джип, отмечаю, что уже довольно поздно. Едем снова ко мне. И снова у меня наступает почти бессонная ночь с изумительной девушкой Татьяной.

С утра, за завтраком, я передаю Тане пять тысяч долларов.

— Это на оружие? — не понимает она.

— Это твои комиссионные за отлично организованное посредничество. Если так пойдет и дальше, как я планирую с поставками машин, ты будешь получать у меня свой процент.

Девушка поражена такой постановкой вопроса.

— Так это тогда получается, что я становлюсь вроде твоего компаньона. Так, что ли,

Антоныч, — начинает девушка, но спотыкается на полуслове.

— Пока ты не скажешь, не узнаю.

— Ты бы хотел за один раз взять и получить сто тридцать миллионов долларов?

Внимательно смотрю на Таню. Похоже, этот вопрос как-то связан с ее бывшей работой.

— И кто мне укажет, где они лежат?

— Не иронизируй, пожалуйста, — просит она серьезно. — Ну, скажем, не получить их с поклонами, просто так такие деньги никто не даст. Но их можно взять самому...

— Эту идею ты наверняка вынесла из банка?

Таня кивает, закусив губу:

— Оттуда.

— Вряд ли в этом банке есть такие суммы. Не верю.

— Подожди. Ты всего не знаешь, — останавливает она меня. — Я как только тебя увидела тогда в арке, почему-то сразу подумала, что ты именно тот человек, который может сделать в этом мире многое, если не все...

— Прекрати мне льстить, — хмыкаю я. — Цифра, которую ты назвала, и так уже сама по себе очень лестна для меня. Какие у тебя мысли по этому поводу?

— Через банк Вессальского проходят деньги из Москвы на счета некоторых портовых фирм Владивостока. Кто-то в столице неплохо ворует и перегоняет миллионы долларов через Дальний Восток. Кстати, очень удобно. Но сто тридцать миллионов придут через неделю, и не партиями, а всей кучей. Они якобы предназначены для покупки какого-то судна за рубежом и поступят на счет «Дальпроекта». «Дальпроект» — это фирма-однодневка. Но именно ей и предназначена подобная гигантская сумма. Все деньги наличными вывезут за границу — тут все ясно. Мы можем перехватить их по дороге в порт.

— Мы? — усмехаюсь я. — Вдвоем?

— А что?! Я вполне могу отработать за троих мужиков! — Девушка вполне уверена в себе. — Ты не смотри, что я так выгляжу! У меня, между прочим, подготовка, как у разведчиков армейского спецназа!

Девушка действительно крепка телом, в этом я убедился. Но мышцы ее не портят, так как они у Тани длинные и эластичные.

— Ладно, мисс война, — смеюсь я. — Как мы узнаем, что деньги пришли и именно в тот день их повезут в порт?

— Я уже все продумала, — оживляется Татьяна окончательно.

Она понимает, что меня заинтересовало ее предложение. Вот уж действительно не знаешь, где найдешь и где потеряешь. Не успел приехать в совершенно чужой и незнакомый город, как встретил очень полезного человека с интересным предложением и отменными возможностями, которые просто необходимы в моих делах. И тем более этот человек — девушка, которая подходит мне более всего.

— Ты, наверное, со своей задней мыслью и пошла работать в этот банк? — шучу я.

Девушка пожимает плечами и отвечает вполне серьезно:

— Наверное, да. Мне ведь особенно много и не надо. Ну, миллионов пять, а остальное можете забирать себе...

Я смеюсь так, что у меня выступают на глазах слезы. Ну и юмористка, мать твою! «Много мне не надо»: пять лимончиков зеленых, и полный ажур. Интересно, как у такой девчонки развился криминальный склад ума? Впрочем, почему бы тебе, Антоныч, не подумать о своем криминальном...

— Если все получится, твоя доля будет тридцать миллионов. Это я тебе обозначаю заранее, чтобы потом не было никаких обид. Но ты так и не рассказала мне, как мы узнаем, когда в банк придут деньги и как именно их станут переправлять за бугор?

— Начальник охраны банка обязательно должен будет находиться в офисе, когда туда придут деньги. И будет там до того момента, пока всю сумму не перевезут на корабль. Значит, нам стоит понаблюдать за его домом: если он не появится у себя в квартире ночью, значит, в этот момент они принимают деньги под охрану. После нам нужно будет прослушать телефон в офисе. По сотовому вряд ли будут вестись разговоры о пересылке денег...

Вижу, что Татьяна пыталась подготовить это дело.

— Каким образом мы сможем установить прослушивающую аппаратуру?

— Но ведь ее у нас нет. А как это достать, я пока не знаю.

— Насчет этого не беспокойся. Все будет, — уверяю я. — Как мы установим ее?

— Я ведь еще не уволена окончательно. Мне нужно сдавать дела, получить расчет.

— Хорошо. Тебе нужно позвонить в банк и сказать, что заболела, а до этого уезжала к своим родственникам. В общем, придумай что-то в этом роде.

— Я думаю, все будет нормально. Моя мама, когда звонили из банка, почти так же и ответила, как ты сказал. Чуть позже она мне сделает справку.

На время замолкаем, и я обдумываю, какие ходы можно предпринять в связи с возникшей проблемой. Банки мне еще грабить не приходилось. Как-то это все выглядит по-киношному. Но сами деньги, а их ни много ни мало сто тридцать миллионов долларов, вполне реальная сумма, за которую стоит побороться.

— Хорошо, — наконец говорю я. — Давай обсудим все возможные ходы, как наши, так и банка, а также не будем забывать возможности полицейских. Не сомневаюсь, что в скором времени мы здесь заварим серьезную кашу.

Глава двадцать пятая

Я позвонил в Питер и выписал себе парней. Летят они налегке и везут лишь необходимые электронные штучки. Оружием оснащу их уже здесь: я накупил с помощью Татьяны, наверное, больше, чем нужно. В своей помощнице я теперь уверен, как никогда.

Мы сняли пару домов в пригороде и именно там я размещаю тайники с оружием, да и парни будут там жить. Короче говоря, на подготовку к операции стало уходить почти все время.

Парни прибыли несколькими рейсами, и их теперь здесь двенадцать человек. Группу я разбил на три четверки. Таня смогла установить в банке прослушку, и сейчас мой джип похож на передвижную станцию скрытого наблюдения. Здесь работают магнитофоны на запись и постоянно находятся три человека. Другие ведут визуальное наблюдение.

Наконец мы перехватываем сообщение, что к банкиру прибудут гости. Звонок был из Москвы.

— Как только они появятся, с банка не сводить глаз, — говорит мне Татьяна.

Мне пришлось купить еще одну машину, попроще джипа.

— У них пять инкассаторских броневиков, и тяжело уследить за всеми. Думаю, нужно установить дополнительное наблюдение за территорией «Дальпроекта». Сделать это несложно, и у нас увеличатся шансы, что мы не ошибемся.

— А если деньги повезут все-таки каким-нибудь другим путем? — сомневается Татьяна.

Это она подметила верно. Могут увезти и как-нибудь по-другому. Но тут уж ничего не сделаешь, если прозеваем, значит, не суждено.

Все-таки наше усердие оправдалось. Жучок, установленный в квартире банкира, принес свои плоды. Устанавливала его тоже Татьяна, когда приняла приглашение банкира провести вечер у того дома. Таня ничем не рисковала, так как заявилась к Вессальскому в сопровождении своей мамы. Таня рассказывала, что надо было видеть лицо банкира, когда он открыл им двери. Расчеты Вессальского на приятный трах не оправдались, зато наши — в полной мере.

Банкир пригласил к себе хозяина «Дальпроекта», и они обстоятельно, под нашим негласным контролем, обговорили детали переброски денег за бугор. Как мы и предполагали, доллары будут вывозить из Владивостока морским путем, и пойдут они в один из банков Гонконга. Оттуда уже рассосутся по необходимым счетам своих новых хозяев, которые пока успешно правят и воруют в Москве.

Жаль, что не назывались фамилии москвичей, но и так ясно из разговора двух аферюг, что деньги перекачиваются из Федерального банка России. Воруют на высоком уровне. Что поделаешь, коррупция в нашей стране границ не знает как в прямом, так и в переносном смысле. Поэтому, думаю, если мы упрем ворованное, то никакого криминала в этом нет. Хотя, собственно, я никогда не беспокоился о таких пустяках, как наш уголовный кодекс.

Время мы теперь знаем, и каким образом будут переводить деньги — тоже.

— Нужен отвлекающий маневр, — говорю своим пацанам, собрав всех в арендованном частном доме. — Нам предстоит нагло, среди бела дня грабануть инкассаторскую машину и убрать кучу сопровождающих ее охранников. Естественно, на такую акцию среагируют силовики МВД и, если случится хорошая бойня в центре города, подключатся федералы. Силы у нас не то что не равны, а гораздо хуже. Поэтому будем действовать так, — показываю парням карту, разложенную на столе. — Вы двое в пятнадцать тридцать откроете огонь из гранатометов и автоматов вот здесь, почти в черте города. Место там пустынное, и менты подумают, что началась какая-то очередная бандитская разборка. Ваша задача — отработать около десяти минут и начать отходить вот сюда, как только услышите, как к вам приближаются полицейские.

— Мы только отвлекаем или... — интересуется понятливый Витек. Ему и предстоит все начать гораздо раньше нас.

— Никаких или... Тебе, Саня, предстоит такая же работа, только будет это вот здесь, в трех километрах южнее, — обозначаю место для второй группы. — Будете также отвлекать ментов на себя с Костиком. Вы начинаете шмалять без пятнадцати четыре. Весь боезапас завезем вам с вечера. Обе группы атакуют пустые складские помещения, расположенные на окраинах города. Таким образом силы легавых раздвоятся, и, пока они будут оцеплять те районы, мы успеем сделать свое дело. Денег в броневике больше чем достаточно, я имею в виду их общий вес, а не цифру. Нам потребуется время, чтобы все это перегрузить на грузовик. Со мной работают две группы. Машины будем угонять за два часа до начала операции...

Больше двух часов уходит, чтобы распределить обязанности. Разъясняю каждому, что, где и как он должен делать. Прикидываем возможные варианты развития событий. У меня есть несколько человек, которые служили в спецназе МВД, и они в курсе, как действуют их бывшие коллеги. Оружия у нас хватает. Таня достала все, о чем я ее просил. Вот что значит боевая девчонка и надежная связь с армией!

Но и это еще не все. Со знакомым мне уже полковником, который начал вести дела с моими бизнесменами по машинам, мы утрясли ряд вопросов, важных для отхода моих людей с деньгами. Уйти мы должны эффектно и безопасно. Полковнику обещана определенная сумма, и он готов разбиться в лепешку, чтобы ее получить. Крупные деньги — отменный стимул в любом деле, а значит, все будет у нас как надо.

К намеченному времени выдвигаемся на исходные. Машины, которыми мы сейчас пользуемся, были угнаны в городе полтора часа назад. У всех моих людей рации с головными телефонами, и у меня есть рация, по которой я слушаю милицейскую волну.

В пятнадцать тридцать пять полицейские зашевелились. К месту пальбы, устроенной моими парнями, спешат патрульные машины и ОМОН. Все идет по плану. Фиксирую все переговоры ментов. А вот, кажется, начинается и вторая придуманная мной заварушка. Легавые в изумлении от войны, которая якобы разрастается у них под носом. Их силы разделяются.

Главное теперь, чтобы наши пацаны отходили по моему плану без задержек. Отход продуман до мелочей, и у нас на подхвате есть кое-что из армейской техники. В определенном месте парней заберет вертушка. С группами, проводящими отвлекающий маневр, у меня связи нет. Это я сделал специально, дабы не было случайного перехвата наших разговоров.

— Выходит «коробочка»! — раздается голос Миши в наушнике.

— Приготовились! — командую всем.

Татьяну я заставил остаться дома. Как бы она ни говорила о своей подготовке и желании воевать как мужик, делать ей здесь нечего. Приготавливаю «шмеля» и приоткрываю дверцу машины.

Опять зарядил мелкий дождь, и народа на тротуарах почти нет. Лишь по левой стороне в моем направлении идет под зонтиком молодая парочка. Расстояние до угла дома, откуда сейчас вырулит броневик, порядка семидесяти метров. Позади меня по улице спускается пассажирский рейсовый автобус. Только бы успеть до того, как автобус поравняется с броневиком. Вот он! Вижу выезжающую из-за поворота инкассаторскую машину довольно крупных размеров. Ее сопровождают две «БМВ».

— Мы готовы! — сообщает Михаил по рации.

— Начинаю! — говорю и выхожу на проезжую часть. Вскидываю гранатомет на плечо. Быстрое прицеливание в кабину броневика. Пуск. Ракета, шипя, уходит в цель. Яркая вспышка среди дождевой пелены и волна грохота. Приседаю на одно колено, отбрасываю от себя трубу гранатомета. Берусь за автомат. Впереди расцветает новая вспышка: это взрывается «бээмвуха» сопровождения, которую подорвал гранатой Михаил.

Выверенными короткими очередями луплю по уцелевшей машине, которая пытается развернуться. Но вот и она, словно распертая изнутри огнем в разные стороны, подпрыгивает и переворачивается на бок. Еще один точный выстрел из гранатомета моих парней очищает нам путь к деньгам. Пассажирский автобус остановился, не доезжая до места побоища, и из «Икаруса» драпает народ. Запрыгиваю в свою машину. Вернее, она не моя — недавно угнана.

— Пошли! — командую всем и за несколько секунд доезжаю до подбитого броневика. Он уже горит.

Тут же подлетают три легковушки с моими бойцами и выскакивает из-за угла КамАЗ с тентом. Гена и Жорик цепляют на боковую дверь броневика пластиковую взрывчатку. Отбегают в сторону. Еще один взрыв, но уже поспокойней. Пацаны работают быстро и не суетясь. Из инкассаторского фургона в КамАЗ летят большие пакеты с пачками денег. Я и еще трое парней следим за обстановкой вокруг.

— Быстрее, пацаны! — тороплю я всех, но они и так работают на пределе своих сил.

В пассажирском автобусе уже никого нет. Парочка тоже куда-то успела слинять. Но в «Икарусе» за стеклом кабины торчит испуганное лицо водителя. Это ты зря, дурень. Нужно было убегать. Излишнее любопытство гробило многих. Навскидку дырявлю водителя длинной очередью.

— Все! — кричит Михаил. — Уходим!

Запрыгиваю в свою машину, у которой двигатель не глушил. Со стороны верхней улицы показались ментовские «Жигули» с включенными маяками и сиреной.

— Мусора впереди! — говорю спокойно. — Давайте, отваливайте, я их придержу!

Вновь рванув на себя ручной тормоз, вываливаюсь на асфальт и тут же поливаю полицейских. Менты оказались не промах. Они также повыскакивали из машины и, свалившись на мостовую, открывают ответный огонь. У ментов автоматы, но у меня лучше... Хлопает подствольник, и вижу, как граната накрывает одного полицейского. Водитель-милиционер, видимо, был убит мной сразу, так как из машины не вылез, а «жигуль» воткнулся в поребрик тротуара. Оставшийся полицейский пытается перебежать к дереву, но я мгновенно пресекаю эту его храбрую попытку, и мужик заваливается на тротуар с перебитыми ногами. До меня доносятся его крики.

Все наши машины уже ушли, и мне предстоит их нагонять. Но по закону подлости уехать на своих колесах я уже не смогу. Автоматы ментов прошили мою тачку, и двигатель не работает. Ухожу в ближайшие дворы. Весь этот район я обследовал заранее, намечая экстренные пути отхода, и теперь убеждаюсь, что делал это не зря. Бегу и бегу. На голове у меня маска, а в руках автомат. Видок, конечно, не для мирного города. А кто вообще-то сказал, что у нас города сейчас мирные?

Глава двадцать шестая

Парни и деньги улетели военным транспортником в Питер. Все прошло как нельзя лучше, и никто из моих людей не пострадал. Татьяна получила на руки сто штук, и через неделю ей привезли чековую книжку вместе с представителем швейцарского банка, который завизировал в документах Татьянину подпись. Теперь Таня очень богатая девушка. Она сама до сих пор не может окончательно поверить, что у нее на личном счете за границей такие сумасшедшие деньги. Своим родителям она, естественно, ни о чем не рассказывала.

Банкира Вессальского убили через пять дней по дороге в его банк. Это не наша работа. Видимо, в Москве не поверили, что ограбление было совершено другими людьми, а не подстроено самим Вессальским. То, что мочканули банкира другие, избавило меня от лишних хлопот: я сам намеревался сделать то же, дабы обезопасить Татьяну от возможных подозрений.

Буквально на следующий день после удачного покушения на Вессальского неизвестный киллер грохнул в подъезде заместителя Сергея Андреевича, господина Кропоткина Ю. В. Черт с ними, с этими банкирами. Я пробовал дозвониться Волку в Красноярск, но ни по одному телефону не поднимали трубку. Даже в том кафе, с которого мы когда-то начинали. Странно...

Двое моих бизнесменов начинают доходный бизнес с японскими автомобилями, заручившись поддержкой полковника, представленного Таней. У парней все получится. Офис во Владивостоке мы не открываем, так как наша деятельность проходит мимо городских авторитетов. То, что я хотел сделать в этом городе, уже сделано, и денег с Владика мы поимели даже больше, чем я мог бы себе первоначально предположить. Делать тут уже нечего, и я собираюсь уезжать. Последний во Владивостоке вечер провожу с Татьяной на своей квартире.

Девушка грустит, но я объясняю ей, что она должна будет сделать. Ближе к ночи, внимательно выслушав меня, Татьяна совсем развеселилась. Мы с ней встретимся у нас в Питере, и позже я смогу помочь ее семье перебраться за бугор. А пока мои люди похлопочут о переводе Таниного отца в Санкт-Петербург. В таком случае отъезд Татьяны из Владивостока не покажется никому подозрительным. Семья у них всегда следовала за своим военным папашей.

Договорившись с полковником, вылетаю в Красноярск на военно-транспортном самолете. Мне очень не по душе, что все телефоны моих друзей молчат, вплоть до домашних. Необходимо самому убедиться на месте, все ли в порядке у парней.

В Красноярск попадаю уже ночью. Ничего не остается делать, как устроиться в гостиницу. Это тоже занимает время, так как в обычном номере я жить не хочу. Номер люкс снимаю только в третьей по счету гостинице. На сон мне остается чуть меньше пяти часов. Хотелось бы проехать по нашим местам сразу по прибытии, но вписывать таксистов в это дело ночью я не хочу.

В девять утра я уже на ногах. Зарядил мокрый снег. Холодно. Кутаясь в свой утепленный плащ, вижу, что я одет не по сезону. Местные давно нарядились в дубленки и шубы, а я в своих модельных легких ботиночках из мягкой кожи на тонкой подошве уже с полчаса хожу с мокрыми ногами. Посетил несколько мест, где могли бы быть в это время мои старые приятели, но так никого и не увидел.

Кафешка, в которой мы когда-то встречались с глухонемыми, давно переделана в небольшой уютный бар, но и она оказалась закрытой, и с черного хода висят большие амбарные замки. Несколько раз за утро я звонил своим друзьям по их домашним телефонам, но мне так никто и не ответил.

В десять часов захожу в автосалон и выбираю себе джип «тойоту», точно такую же, какая была у меня во Владивостоке. Но эта с красноярскими номерами. В чужих городах я всегда покупаю тачки, не снятые с местного учета.

Через полчаса, закончив с оформлением машины, выезжаю в город. В комфортном джипе сразу забываешь о непогоде, холоде и промозглости. Установка микроклимата поддерживает нужную температуру, руль с гидроусилителем слушается малейшего движения мизинца, да и скорости переключать самому не надо. Дави потихоньку на газ и отдыхай в дороге. Катаюсь по Красноярску, присматриваясь к переменам, произошедшим в мое отсутствие. Еду посмотреть на дом Волка. Из высокого джипа отлично просматривается весь участок. Но то, что я вижу, не вселяет в меня оптимизма. Дом горел, и не просто от какого-нибудь короткого замыкания или пьяного поджога. По коттеджу было сделано минимум шесть выстрелов из гранатомета типа РПГ. Это только то, что я могу увидеть издалека. Кажется, у Волка серьезные проблемы... Необходимо срочно кого-то найти из моей бывшей команды.

Отправляюсь по известным мне адресам, но никого не нахожу. Пока я не узнаю ситуацию, в более людные места, набитые братвой, мне соваться ни к чему. Это будет неразумным шагом.

Отправляюсь на гору к нашему старому поставщику оружия. К своему удивлению обнаруживаю, что дом вояки на месте, да и сам он цветет, что майская роза.

— Антоныч! — радостно восклицает Куликов, увидев меня в дверях своего дома.

Я зашел, когда Геннадий Трофимович собирался отобедать. Стол у него накрыт на одну персону. Семьи у Куликова нет.

— Ну, здравствуй, Трофимыч, — улыбаюсь ему.

— Появился все-таки, — доволен Кулик. — А я думал сначала, что все... У вас ведь тогда разборки начались с правым берегом... Да об этом весь город тогда говорил. И как у тебя девушку убили... Ну, а после все вроде устаканилось, только ты пропал. Я думал, осиротела ваша бригада, только парни это скрывают от всех. Тебя ведь в основном и боялись! Но вижу, что ошибался: живой, здоровый! — хлопает он меня по плечу. — Есть будешь?

— Нет, Трофимыч, спасибо. Расскажи лучше, если знаешь, что там с моими парнями сейчас происходит? Я видел дом Цыгана, так его вроде как танки штурмовали...

Лицо у Кулика делается серьезным.

— Беда у ребят, — говорит он строго. — Но ты не волнуйся. Все нормально, просто на время зарылись и теперь живут не в городе. Меня ведь с тех времен, кроме как твои пацаны, и не знал никто. Тебе за это, кстати, Антоныч, спасибо. Поэтому и цел сейчас. Иногда парни твои заглядывают. У меня ведь всегда есть то, что им необходимо... Скоро кто-нибудь из них заявится, тогда и смогу передать, что ты приехал. Или как?

— Обязательно передай. Скажешь, чтобы кто-то из них подъехал на берег, туда, где я прятал свой наган. Парни поймут. Скажешь, что буду их там ждать каждый день в три часа, но не больше десяти минут. Не забудь, передай!

— Да что ты, Антоныч! — складывает руки на груди Кулик. — Разве я что-то когда-нибудь забывал?! Обязательно передам!

Еще раз пожимаем друг другу руки, и я еду снова в город. Теперь мне необходимо решить проблему с жильем. И хотя в гостинице я предъявлял чужой паспорт, обман может быстро раскрыться, если кто-то меня узнает из бывших конкурентов. И ведь узнают обязательно... Через агентство я решил жилье не снимать, так как не знаю, кто может «крыть» аферюг по недвижимости.

Кулик отчасти меня успокоил, сказав, что все пацаны живы. Но он видел их в последний раз две недели назад. За это время... Нет. Не стоит забивать голову догадками. Сначала займемся жильем.

Еду на окраину города, где стоят частные дома. Покатавшись по улочкам и заходя в дома местных жителей, все-таки нахожу себе жилье в довольно нормальном на вид доме. Здесь живет толстая тетка со своим мужем, скорее всего барыги с рынка. Плевать, кто они. Мне сдают половину дома с отдельным входом, а это сейчас самое главное.

Когда хозяева поинтересовались, увидев дорогую машину, чем это я занимаюсь, я сказал им, что работаю юрисконсультом на оборонных предприятиях и здесь нахожусь в служебной командировке. Барыги решили, что я им неинтересен, раз не торгаш, и быстро отстали.

Четыре дня я ездил к месту встречи. Заодно проверил, цел ли мой наган. Револьвер оказался в целости и сохранности. Не мешало бы его смазать, но пока заниматься оружием не хочу. Я привез с собой парочку стреляющих штучек, и мне вполне хватит, чтобы в случае чего постоять за себя или разобраться с кем-нибудь. На самый крайний случай под рукой всегда есть Куликов, который припрет хоть гаубицу, лишь бы за нее заплатили.

На пятый день замечаю, что в мою сторону — я прячу свой джип среди обломков каменных глыб — едет машина. Даже издалека вижу, что по бездорожью поливает УАЗ. Но в нем не менты и не военные. «Уазик» выполнен в обычном гражданском варианте.

На всякий случай приготавливаю АПС, загоняю патрон в ствол и, навинтив глушитель, перевожу флажок предохранителя в положение стрельбы очередями. Выйдя из машины, стою возле капота так, чтобы в случае чего меня смог прикрыть двигатель и колесо. Оружие временно убрано за пояс брюк.

«Уазик» тормозит, не доезжая до моей машины метров пять, и из него шустро вылетает громоздкий Алексей. Он меня видит и расплывается в улыбке.

— Антоныч!! — орет он и несется ко мне.

Выхожу навстречу приятелю. Ствол остается на своем месте. Раз меня здесь так встречают, незачем в первую минуту показывать, с чем я тут ждал своих друзей. Да и Леха наверняка не идиот: пока не увидел меня, скорее всего держал на коленях какой-нибудь ручной пулемет.

Обнимаемся, приятельски похлопывая друг друга по спине. От Лехиных хлопков можно легко перестать кашлять. Пара минут уходит на обычные радостные реплики. Потом успокоившись, Алексей закуривает, и мы присаживаемся на валуны.

— Давай, Лех, расскажи, что у вас тут происходит, — прошу парня.

— Долго рассказывать, Антоныч, да я и не особо мастер в таких делах. Тебе лучше с Волком поговорить. Вот он рад будет!

— Так Волчина еще не знает, что я здесь?

— А то! — смеется парень. — Я ведь к Кулику заезжал, заказ делал. Он мне и выдает, мол, так и так, заходил Антоныч. Я ему даже вначале не поверил, думаю: пургу мужик гонит. А оказывается, верно! — Он делает паузу. — Война у нас тут, Антоныч. Дела потому что теперь серьезные ведем и денежные. Москва сюда лезет, как на мед, а мы стоим! — хохочет он.

Мне это знакомо. В столице любят немеряные бабки, и мочат за них направо и налево. Волей-неволей от таких наберешься...

— Где теперь окопались? — интересуюсь. — Видел я дом Волка...

— Это еще цветочки, — мрачнеет Леха. — Мы здесь за три недели семь пацанов потеряли и четверо ранены. Волка тоже зацепило слегка. Сейчас, Антоныч, поедем, — кивает Леха и поднимается. — Мы тачки пока поменяли, чтобы не особо светиться. Так что давай за мной потихоньку.

Забираюсь в машину и следую за Лехой. Судя по всему, мне и здесь найдется работенка. Без подобных дел я, кажется, не останусь никогда. За Лехиной колымагой приходится плестись еле-еле. Через город проезжаем спокойно, и лишь на выезде с другой стороны мою машину тормозят менты. Я думал, будет шмон по всей тачке, и уже прикидывал, с какого легавого начинать, как Леха вернулся, быстро переговорив с ментами, и кивнул мне — мол, давай, рули за мной дальше. Война войной, а у парней все так же схвачено. Это уже радует.

Глава двадцать седьмая

По дороге на Дивногорск, не доезжая до него километров десяти, сворачиваем влево. «Уазик» Лехи скачет на колдобинах дороги метрах в десяти от моей машины. Едем по лесной колее, и кажется, ей не будет конца. Но вот УАЗ еще раз сворачивает в сторону и через сотню метров выбирается на довольно большое открытое пространство, огороженное высоким бетонным забором с колючей проволокой поверху. Если бы я был уверен, что это не так, то мог бы подумать, будто передо мной одна из зон «краслага».

Доезжаем вдоль забора до главных ворот. На территории два больших, внушительных дома. Есть и хозяйственные постройки, и редкие деревья, растущие на трех или четырех гектарах земли. Отмечаю наличие следящих камер по всей территории и немалое количество охранников.

Леха прерывисто сигналит из своего УАЗа, когда мы останавливаемся возле дома. Нам навстречу выходят и те, кого я знаю давно.

— Антоныч!! — орет Волк с порога.

Левая рука моего приятеля на перевязи, и он опирается на тросточку. Обнимаемся с цыганом и еще со многими, кого я знал несколько лет назад. Некоторое время мы не говорим о делах и лишь через часок, когда ознакомился со всем местным хозяйством, приступаем к разговору за богато накрытым столом.

— Все началось тогда, — говорит Волк, — когда мой банк стал скупать векселя крупного алюминиевого комбината. Затем мне удалось перекупить немалую часть его акций. Но в дело вмешались банковские структуры из Москвы. Тягаться нам с ними тяжело, так как на любой банк есть серьезные рычаги давления из столицы. Пока у нас не отобрали лицензию, мы провернули кое-что, и теперь все акции и векселя принадлежат некоей корпорации, которая, разумеется, тоже наша. Банк у нас накрылся, но под шумок мы открыли другой, только не здесь, а в Новосибирске. В Москве не знают, что тот банк тоже мой.

— А с кем вы здесь все-таки схлестнулись? — Мне понятна вся серьезность того бизнеса, какой развернул Волк. Но в данном случае меня интересуют конкретные эпизоды, привязанные к Красноярску. Что толку говорить сейчас о делах и огромных деньгах, если завтра тут могут перебить всю команду Волчары? Тогда ему вряд ли понадобятся эти чертовы банки и прочее дерьмо.

— Как я понимаю, с Москвой, — отвечает Волк. — Они подписали на это дело бригаду некоего Ревата. У него серьезные боевики, но вконец отмороженные. Если честно, то и мы вообще-то были такими же, если не хуже, — смеется Волк.

— Что за фигура — Реват?

Волк пожимает плечами:

— Хрен его знает, откуда он вообще появился! Но Реват не зверек. Имя у него странное и, наверное, досталось ему от отца, хотя...

— Где его нора? По-моему, вы тут все слегка обросли жирком со своими банками... — говорю приятелю.

— Наверное, Антоныч, — разводит Волк руками. — А насчет Ревата у меня данных нет. Он и его парни — это что-то вроде наемников. Я говорил с ворами, но они не могут узнать пока ничего толкового.

— С кем ты сейчас в контакте из городских авторитетов?

— Только с Меней. Остальные держатся особняком. Да и мы не особо усердствовали в общении, потому как к нам долгое время никто не подкатывал с гнилыми базарами.

— Вот в этом-то вы и просрали, — говорю я, вспоминая о недавнем крахе своей собственной бригады. Но мне удалось восстановить все быстро потому, что я всегда владел нужной информацией. Впрочем, Волка винить не в чем, легче заняться самому этим вопросом, и чем быстрее я это сделаю, тем быстрее устранятся проблемы.

— Мои люди сейчас роют в городе, но пока безрезультатно, — признается Волк.

— Мне нужно будет легкое прикрытие, и я сам попробую узнать, что здесь у вас творится.

Ребята довольно долго смотрят на меня молча, затем Леха начинает ржать, и через минуту хохочут уже все. Недоуменно жду, когда закончится их гомерический смех.

— Похоже, Антоныч, нашему мэру не повезло, — вытирает выступившие слезы Волк. — Через недельку ему нечем будет управлять!

У ребят совсем уж черный юмор, и они явно переоценивают мои скромные возможности.

Все, что я узнал ценного насчет Ревата от Волка, так только то, что это имя Волку назвал бригадир Кулехинской команды Уж.

Волк рассказал, что попытался повыспрашивать Ужа, но они не в таких приятельских отношениях, чтобы Уж стал выдавать всю имеющуюся у него информацию. Скорее, ему даже будет выгодно, если Волка кто-нибудь снимет с пробега. В этом случае у Кулехинской команды есть шансы подгрести дело Волчары под себя.

Мне думается, что Кулехин и Уж зря раскатывают губищи. Сегодня я как раз и собираюсь встретиться с Ужом. В город меня сопровождают Леха и трое его парней. Едем на моей «тойоте».

— Тут скоро все завалит снегом, и как вы будете добираться к вашим домам? — интересуюсь у Алексея.

Дорога, по которой мы едем второй раз, меня не вдохновляет даже на нормальном джипе.

— Ерунда. К нам туда три дороги подходят, — объясняет мне Алексей. — Одна из них и зимой отлично расчищена, и там нет никаких колдобин. А эта вроде как запасная...

Теперь мне все ясно, и вопросов на этот счет нет.

В городе едем в центр, и Леха показывает офис, где может появиться в это время Уж.

Оставляю парней в машине, а сам захожу в контору.

— Извините, вы к кому? — сухо интересуется на входе охранник.

Парней на входе двое, а в самом офисе, мне кажется, народ отсутствует вообще, несмотря на рабочий день. В коридоре пусто, никто из служащих не шарахается из кабинета в кабинет.

— Мне нужен отдел сбыта, — говорю я спокойно.

— Там сейчас никого нет, — так же ровно и холодно заявляет парень.

— Тогда я хотел бы видеть вашего экономиста.

— Вы из налоговой инспекции?

— Нет.

— Экономист болен, — тут же звучит прогнозируемый уже ответ.

— У него есть заместители?

— Он тоже болен.

Удивительный офис. Никого нет. Или эта шарашка только для прикрытия?

— Я хотел бы видеть директора, — настаиваю на своем.

— По какому вопросу? — не унимается охранник. Мне кажется, он, козел, специально меня злит.

— Это я должен обсудить с самим директором или передать секретарю.

— Секретарь сегодня отдыхает, а директора в данный момент на месте нет...

Второй охранник слегка ухмыляется, слушая наш странный диалог.

— Когда он будет?

— Он не сообщает о своих планах. Приезжайте завтра, — отшивает меня хозяйская овчарка.

— У нашей фирмы контракт с вашей конторой. Я не могу ждать, когда в дело вложены немалые деньги... — пытаюсь «пробить» быков.

— Вам все-таки лучше всего предварительно договориться о встрече, — с непроницаемой мордой заявляет охранник. — Ничем не можем вам помочь.

Коридор по-прежнему пуст. У подъезда офиса никаких машин не паркуется. Мне надоели пустые пререкания. Достаю пистолет с глушителем и не раздумывая нажимаю на курок. Говоривший со мной охранник отваливается от стойки с дырой в башке.

— Где Уж? — словно ничего не произошло, спрашиваю у оставшегося охранника.

Парень в ужасе влип спиной в спинку стула и не сводит глаз со среза глушителя.

— Я... Я не знаю... — выдыхает он и тут же громко пускает воздух из штанов.

— А кто знает, идиот?! — хмурюсь я. — Кто мне скажет сейчас об этом?

— Направо по коридору, — по лицу парня бегут крупные капли пота. Я бы не сказал, что в офисе стало жарко. — Третья дверь слева. Там сейчас трое его парней. Я не...

Договорить ему не удается. Глушитель шипит, и охранник падает на пол. Выхожу на улицу и подзываю своих парней. Сейчас они займут место охраны. Иду по коридору в указанном направлении, на ходу меняя обойму. Захожу без стука. В большой комнате действительно трое, и они азартно режутся в карты.

— Где Уж?! — спрашиваю с ходу.

У парней наверняка есть при себе стволы, но они ими воспользоваться не спешат. Правда, отвечать не спешат тоже. Давлю на спуск, и один из парней, дергаясь, утыкается подбородком себе в грудь.

— Он звонил, сказал, что едет сейчас в «Ровесник», — быстро сообщают мне.

— Где этот «Ровесник»?

Парень объясняет, как мне найти Ужа.

— Ладно, — киваю им примирительно и достаю две пары наручников. — Вам придется побыть пока возле батареи...

Сейчас пацаны, кажется, готовы жить прикованными к батарее хоть целый год, лишь бы выжить. Согласен с ними: этот вариант действительно лучше, нежели получить пулю.

Прицепив охранников, иду на выход.

— Да, кстати, — поворачиваюсь к ним. Боевики с ужасом ждут, что я вытворю дальше. — Если у вас спросят, что тут произошло, скажете, что заходил Антоныч из команды Волка.

Лица у парней тут же вытягиваются и челюсти отвисают. Приятно, когда о тебе помнят так долго. Забираю своих и качу в новомодный кабак, который почему-то назвали «Ровесником». Ничего другого мне не приходит в башку, как только подумать, что заведение открывали бывшие комсомольцы.

— Странно, чего Уж-то шифруется? — недоумевает Леха в машине.

Пожимаю плечами. Долбаного Ужа я вообще не знаю и строить предположения не могу.

«Ровесник» — не просто кабак, а целый комплекс в виде мотеля за городом.

Заходим в бар. Леха и его пацаны уже здороваются с кем-то из сидящих за столиками парней.

— Ну, и где Уж? — спрашиваю Алексея, когда подходим к стойке бара.

— Будете что-нибудь пить? — тут же интересуется бармен.

— Иди на хер! — посылаю назойливого сукина сына.

Бармен нахмурился и смотрит на меня в упор, как будто хочет раздавить. Парень он не слабый это видно сразу, но у меня с утра вообще паршивое настроение. Моих друзей загнали в дыру, а здесь сидят кретины и жрут водяру, довольные своей жизнью.

Алексей меня знает, поэтому молчит.

— Ты че, сука, набычился?! — рявкаю на бармена.

Братки в зале с интересом смотрят на нас. Двое Лехиных пацанов теперь напряженно следят за зальчиком, готовые в любой момент выхватить оружие.

— Антоныч, — осторожно начинает Леха, пока я не успел уделать парня за стойкой, — я знаю, куда надо идти...

Бармен, видимо, из бывших спортсменов. Но меня это не колышет. Мгновенно перегнувшись через стойку, подтягиваю его рывком к себе за лацканы пиджака и тут же разбиваю у парня на калгане какую-то фирменную квадратную бутылку с виски. Бармен в первую секунду попытался сопротивляться, но резкости у него явно оказалось маловато. Проследив, как он завалился за стойку, киваю Лехе:

— Пошли.

Нам никто не мешает, и мы проходим в другое помещение. Здесь второй зал, гораздо больше первого, но народа в нем практически нет.

— Вон, в том углу... — кивает Алексей в нужном направлении. — Уж в куртке, — подсказывает он.

Рядом с Ужом еще двое каких-то типов. Направляюсь к ним и уверенно присаживаюсь за их столик. Вся троица смотрит на меня, я же не отрываю взгляда от Ужа.

— Я — Антоныч, — представляюсь им. — У нас с тобой, Уж, сейчас будет разговор.

Вижу, как каменеют лица парней. Все здесь обо мне слышали.

— Ты... друг Волка? — открывает рот Уж.

— Сдернули отсюда! — приказываю ребятам Ужа.

Парни колеблются, но все-таки поднимаются со своих мест и, не решаясь отойти, ждут, что им скажет Уж.

— Подождите на выходе, — говорит он.

Пацаны уходят.

— Слушай, Уж, ты, наверное, в курсе, кто я...

— О тебе, Антоныч, здесь все слышали, — подтверждает он.

— Значит, ты должен понимать, зачем я пришел... — одобряю его памятливость. — И ты должен мне объяснить, почему все здесь балдеют как хотят, а мои друзья вынуждены ныкаться по шхерам? Кто такой этот, мать его, Реват? И почему он, сука, тут удобно устроился под вашим носом, а вы не помогаете Волку? Вот на эти вопросы я буду сейчас в течение минуты ждать ответа. И, бля буду, Уж, я расцениваю все это как то, что ты и другие, тебе подобные, которые якобы держат нейтралитет, помогаете Ревату угробить моих кентов. Так не получится! Я приехал сюда, Уж... Ты понимаешь, что я хочу этим сказать?

— Да, Антоныч, — тут же соглашается он. — Но Волк не просил у нас помощи! Да это вон и Леха подтвердит.

— Вообще-то, Антоныч, это правда... — подтверждает Алексей.

— Допустим... — киваю я и отпиваю минеральной прямо из бутылки. — На кого работает Реват?

Уж заметно колеблется, не решаясь заговорить. Я замер и не отвожу глаз от переносицы моего собеседника. Взгляд Ужа блуждает по столу. Он вздыхает, откашливается, прикуривает новую сигарету.

— Кулеха говорил, что Реват — человек из Москвы. Он от Лысого. Ты слышал о Лысом?

Я медленно киваю. Лысый — один из воров в законе, но он новой формации, а значит, вор кровавый.

— Откуда об этом знаешь? — спрашиваю я.

— Сначала они пытались связаться с Кулехом, но он отказался от этого дела, так как не хотел идти против Волка. Это точно, Антоныч.

— Кулеха помогал Ревату?

Уж пожимает плечами и мотает головой.

— Я не знаю, Антоныч, — выдыхает он. — Я не могу говорить об этом за него. Но мне Куль точно никаких поручений помогать москвичам не давал. Это без балды, Антоныч, бля буду! Тем более я ведь Волку сразу сообщил о Ревате.

Некоторое время сидим молча.

— Я поверю тебе, Уж, — говорю я, подумав. — Тебе врать просто невыгодно. Не должно быть у тебя такого интереса. Но как выйти на Ревата?

— Их вроде бы прикрывает Гнус. Точнее, не вроде бы, а именно он.

— Расскажи мне все о Гнусе, — киваю ему одобрительно.

Через полчаса мы выходим из бара. В маленьком зальчике меня встречает братва, стоя за столиками с бокалами в руках.

— Привет, Антоныч! С возвращением! — раздаются со всех сторон приветственные возгласы.

Улыбаюсь всем и отмахиваю рукой в знак приветствия. Гребаный бармен снова торчит за стойкой, уже с перевязанной головой, и кисло мне улыбается. Парень, наверное, врубился, что очень легко отделался и лучше огрести от меня бутылкой, чем получить «маслину» промеж шнифтов.

Глава двадцать восьмая

Уж дал мне полный расклад, где и как искать Гнуса. После того как бригада Гнуса стала помогать команде Ревата, сам Гнус перестал появляться в тех местах в городе, где обычно бывал. Поэтому решаю навестить ублюдка в собственной конуре.

Для начала издалека присматриваемся к объекту. Коттедж Гнуса расположен за городом в очень живописном месте. Но с точки зрения специалиста, как стратегическое место, дом стоит хреново. С ближних лесных холмов можно спокойно наблюдать за всей территорией коттеджа в бинокль. Дом стоит в распадке. Сквозь участок протекает речушка, которая образует довольно большой пруд с миниатюрной плотиной. Еще бы мельницу поставил, урод. Но по житейским меркам Гнус устроился очень даже неплохо.

— Как думаешь, Лех, Ревата здесь найдем? — спрашиваю у приятеля, не отрываясь от бинокля.

Мы очень удобно улеглись на вершине холма, и редкие высокие кедры совершенно не мешают обзору. Я планирую разобраться с Гнусом сегодня. Все необходимое мы приволокли с собой, и Лехины пацаны сейчас стерегут мой джип с другой стороны холма. Начинает темнеть. Спускаемся к машине, чтобы немного перекусить и еще раз объяснить парням, что и как они должны делать, когда начнем операцию.

— Может, я все-таки пойду с тобой? — просит Леха в надежде, что я передумаю и заменю его на одного из боевиков.

— Ты сам говорил, что был в армии снайпером. Никто из парней не сможет справиться с этим... — киваю на СВД, прислоненную к дереву.

Пацаны расселись на поваленном дереве и, поев, пьют из термоса горячий кофе.

Леха нехотя соглашается со мной. Довод в данном случае самый весомый.

Наконец подходит и наше время. Стемнело полностью. Небо заволокло тучами, и поэтому ощущение темноты усиливается. Никаких осадков на ближайшие часа два не предвидится, но похолодало значительно. Собираемся. Надеваю под темный комбинезон теплый свитер. Парни клацают затворами «акээмов».

— Ну, я пошел? — говорит Леха, надевая вязаную шапочку и прибор ночного видения.

ПНВ есть у каждого из нас. А у Лехи на винтовке также и специальный ночной оптический прицел.

— Давай! — киваю ему. — Будь все время на связи и не начинай раньше, чем я дам тебе команду.

— Ясно, Антоныч, — улыбается Леха. — Мы этих уродов сейчас всех уделаем!

Надеюсь, что все будет именно так. Леха снова ползет на холм, откуда мы недавно наблюдали за территорией коттеджа.

— Все запомнили? — еще раз спрашиваю у пацанов.

— Все путем, Антоныч! — кивает здоровяк Димка. — Работаем по твоей команде.

Через двадцать минут скрытно добираемся до намеченного места. Камеры слежения есть только на фасаде дома. По периметру забора и на гостевом домике камер нет. Перемахиваем через ограду и прячемся за дальней стеной гостевого дома.

— Давай! — знаком показываю Валерке, что можно начинать.

У парня в руке небольшая канистра с горючкой. Мы с Дмитрием расходимся, чтобы наблюдать за территорией, пока Валерий залезет через окно и сделает то, что необходимо. Через пять минут Валерка снова рядом с нами и показывает, что все в порядке. Он передает мне маленькую коробочку электронного пульта. В доме заложен пластит, дерево облито горючкой, в нужных местах расположены термитные заряды — полыхнет строение красиво... Выжидаю момент. Сейчас все находятся в основном доме. Там не меньше десяти вооруженных до зубов охранников, а также сам Гнус и несколько гостей. Возможно, там те, кого мы ищем.

Гостевой дом их пуст, это я выяснил еще днем. Нажимаю кнопку на пульте. Внутри домика раздается хлопок, и все вокруг него озаряется. Ждем. Реакция у хозяев наступает не сразу. Наконец пожар заметили: из основного здания выскакивают охранники. Устроенным пожаром мы должны выманить их всех.

Как только все боевики Гнуса оказываются на территории, тут же открываем по ним огонь. Гнус и его трое гостей теперь тоже на территории, но как только наши автоматные очереди стали косить боевиков, Гнус с приятелями залег возле крыльца. Уцелевшие боевики открывают беспорядочную ответную пальбу.

— Леха, давай! — командую в рацию. — Только не уделай тех, кто у входа!

— Понял! Они у меня в кармане, суки! — тут же отвечает приятель, и с ближнего холма сразу начинает бить снайперская винтовка Драгунова.

Через две минуты мы можем спокойно, ничего не опасаясь, добежать до Гнуса и забрать его с собой. Гостей Гнуса также приглашаем пройтись с нами. Один из моих парней быстро обследует дом. Вернувшись, докладывает, что в здании больше никого нет.

— Забери кассеты с пульта и уходим, — говорю ему. Пнув одного из пленников, лежащих на земле, командую: — Пшел, козлина!

Уходим к машине.

Гнус, хрюкнув и согнувшись в три погибели, грохается на колени.

— Это что у тебя за уебки? — спрашиваю его о тех троих мужиках, которые с ужасом таращатся на автомат в моих руках.

— Они... — стонет Гнус и начинает кашлять.

— Быстрее! — тороплю я его.

— Это бизнесмены...

— Барыги, мать вашу! — рычу я. — Где Реват?! — наклоняюсь к самому уху Гнуса. — Где Реват, падла!!

Гнус весь съеживается, ожидая удара. Но его нет.

— Я не знаю! — плачет он натурально.

Отхожу на шаг и, клацнув предохранителем, одиночным выстрелом вышибаю мозги одному из коммерсантов.

— Где Реват?!! — мой крик слышен, наверное, и на Енисее.

— Не надо, пожалуйста! Не стреляйте!! — вопят оставшиеся в живых коммерсанты, встав передо мной на колени. Один из них резво ползет ко мне.

— Стоять! — приказываю ему.

Барыга, в истерике закатив глаза, открывает рот в немом вопле и не может произнести ни слова. Он весь объят диким ужасом.

— Где Реват?! — вновь обращаюсь к Гнусу.

— Я скажу! Я все вам скажу! — торопится вдруг выговориться Гнус. — Они живут не в городе. Поверьте! Но я не знаю, где! Я встречаюсь с ними на трассе... Каждые два дня в десять утра! Это правда!

— Реват звонит тебе?

— Нет! Он очень осторожен. Даже слишком. Никаких звонков перед встречей. И они не подойдут, если что-то, по их мнению, не так...

— Когда встречаешься?

— Завтра, в десять.

— Что Реват должен от тебя получить?

— Только информацию. Ничего больше!

— Что за информация? — я уже остыл и больше убивать не хочу. Да, собственно, уже и не надо.

— Он интересуется хозяйством Волка, его людьми и теми делягами, которые на него работают. Насколько я врубаюсь, у него только одна задача — замочить Волка, убрать его с дороги москвичей...

— Как ты с ними завязался?

— Мне позвонили и попросили... — Гнус вроде слегка оклемался и чувствует, что он нам еще нужен для завтрашней встречи с Реватом. Понимает, что мочить его уже не будут.

— Кто?

— Это люди из Москвы. Андрон, Лысый. Они очень круто стоят в столице и хотят найти денег и здесь...

— Кто это с тобой? — снова поворачиваюсь к бизнесменам. — Представь.

Гнус объясняет. В общем, ничего интересного. Какие-то там крупные оптовики хер знает каких продуктов. Меня они не интересуют, но бригаде Волка передать их можно.

— Кто вас кроет, суки?! — рявкаю на барыг.

— Вот, Сергей Сергеевич, — без задержки, заикаясь, показывает один из них на Гнуса. — Мы с ним работаем.

— С сегодняшнего дня работаете на Волка. Леха вам все объяснит, — киваю Алексею, чтобы занялся коммерсантами. — И чтобы без фокусов, уроды! Это вам Антоныч говорит!

— Антоныч?! — не верит Гнус своим ушам. Он все так же стоит на коленях и теперь уже совсем по-другому смотрит на меня.

— Какие-то проблемы?

— Да никаких проблем, Антоныч! — быстро отвечает он. — Ты бы мог просто приехать и спросить без вот этого... — он кивает назад, где горит его участок. — Я бы тебе все и так рассказал!

— Что это вдруг на тебя такая блажь накатила? — хмыкаю я. — Ладно, хватит трепаться! Ты им объяснил? — интересуюсь у Лехи насчет барыг. Алексей уже отвел коммерсантов в сторону и о чем-то с ними договаривается.

— Все будет путем, Антоныч, — кивает он. — Я их знаю.

— Давай, дуй в машину! — приказываю Гнусу.

Он быстро поднимается с земли, и пацаны сопровождают его к джипу.

— Как с этими? — спрашивает Леха насчет уже своих подопечных.

— Пусть валят. Встретитесь в городе.

После того как бизнесмены уходят к дому Гнуса за своей машиной, отъезжаем подальше и планируем, как мы будем действовать утром на встрече с Реватом.

Глава двадцать девятая

Пришлось вернуться и забрать машину Гнуса. Реват знает его тачку, и любая другая машина может вызвать у него подозрения. Я не хочу спугнуть Ревата.

По словам Гнуса, с Реватом постоянно ездят три машины, и в них не меньше девяти человек. Но я уверен, что кто-то еще контролирует место встречи со стороны. Если Реват, по словам Гнуса, так осторожен, значит, должны быть и люди для прикрытия. Именно поэтому и выезжаем к месту встречи за два с половиной часа.

Оставляю одного парня караулить Гнуса, а сам с Лехой и Димой обследую окрестности. Вдоль левой стороны дороги лес находится почти в низине: там засядет Димка. А с правой стороны лес тянется по склону горы. Вот гору мы и обследуем. Выбираю примерно место, где может разместиться человек Ревата для прикрытия встречи. Распределяем с Лехой фрагменты горы на два сектора и уходим занимать каждый свое место.

В девять часов на трассе, там, где должна будет остановиться машина Гнуса, тормозит белая «девятка». Из нее выскакивают двое крепких парней в военных бушлатах и, быстро осмотревшись по сторонам, шуруют в гору прямо на меня. Шоссе пустынно. Девятка, выгрузив бойцов, срывается с места и, развернувшись, уходит в сторону города. А вот и наши гости. В руках у парней короткие «акээмы». У меня очень удачное место, я могу, не сильно рискуя головой, из-за огромных корней выворотня кедра притормозить вооруженных парней, что и делаю.

— Стоять!! — рявкаю на них.

Парочка мгновенно замирает на месте, пытаясь рассмотреть, кто это командует. Укрыться ребятам негде.

— Бросили стволы! — рычит слева от меня Алексей. Даже мне его не видно, хотя я знаю приблизительно, где он сейчас находится.

Боевики все еще раздумывают и бросить оружие не спешат.

— Вы че, твари, не поняли?! — ору на парней.

Автоматы летят на землю. Бойцы вопросов не задают и, нервно переминаясь, ждут, что будет дальше.

— Руки на затылок! — командует Алексей. — Рылом в землю!

Его команда выполняется. Выходим из своих укрытий и цепляем на стрелков наручники.

Леха поднимает автоматы, а я отвожу боевиков за выворотень и спихиваю мальчиков в песчаную яму. Короткий обыск пленников показал, что у них имеются еще и пистолеты, а также портативные рации.

Парни хмуро всматриваются в наши лица, как бы стараясь запомнить их. Вряд ли им в будущем пригодится это знание. У мальчиков будущего уже нет. По крайней мере в этом мире.

— Когда выходите на связь? — киваю боевику со сломанным носом.

— Вы кто? — в свою очередь пытается поинтересоваться он.

— Тебе сейчас важно не это, — говорю ему. — Когда связь, мудила?!!

— Да пошел ты! — сплевывает парень мне под ноги.

Держится он круто, но не умно. У второго в глазах замечаю искорки страха. Вот с ним и будем говорить, а сейчас я его страх усилю... Вытаскиваю тесак и спрыгиваю в яму. Боевик дергается, но хамить мне вредно в любом случае, особенно если попал в подобное положение. По самую гарду вгоняю длинное и широкое лезвие в сердце наглеца. Он дергается, сучит ногами и быстро затихает. Второй боевик обоссался. Он, широко раскрыв глаза от ужаса, пытается вжаться спиной в песок.

Выдергиваю нож и вытираю лезвие о бушлат убитого, не сводя хищных глаз с другого пленника.

— Н... Когда устроимся... — не может четко связать слова парень.

Беру рацию и подношу ее к его лицу.

— Говори! — приказываю я. — И если только попробуешь мне заикаться...

— Я сейчас! Я все сделаю! — уверяет боевик. — Давайте, я скажу.

— Ты точно готов?

— Да.

Включаю рацию. Она была настроена так как надо.

— Я второй! — говорит парень нормальным голосом. — Мы на исходной. Прием!

Шипение в динамике, треск эфира, затем чистый звук:

— Понял. Как у вас? — уверенный в себе голос с командными нотками.

— Чисто. Ждем.

— Держи связь, — приказывает голос. — Как только появятся, сообщишь!

— Появятся — сообщим. Двадцать два.

— Двадцать два.

Переговорщики отбились. Выключаю рацию, теперь она только на приеме. «Уоки токи» у парней отличные, по ним можно говорить с абонентом, не переключая каждый раз тангенту. Смотрю на часы. Еще рано.

— Как обычно подъезжает Гнус? — спрашиваю у боевика.

Леха сидит на краю ямы, положив СВД на колени, и курит, слушая наш разговор.

— Гнус обычно появляется около десяти. Или без пятнадцати, без пяти...

Беру свою рацию и связываюсь с нашими парнями. Мне отвечает Валерий.

— Подъезжаете без пятнадцати. Реват где-то близко. Его людей мы взяли. Это те, кто должен был прикрывать снаружи.

— Понял, шеф, будем без пятнадцати.

— Из машины не выходи, если не потребуют, — приказываю ему. — Сядешь за руль, а в случае чего укрывайся за колесами.

— Ясно шеф. Буду за рулем.

— Осторожней там, — напутствую его.

Ждем. Время еще есть. Курим с Лехой и молчим, посматривая в сторону дороги. Наконец появляется машина Гнуса. Смотрю на часы. По времени все в порядке.

— Можешь сообщать! — командую боевику и подношу ему рацию.

— Я второй! — выполняет он мою команду. — Все на месте! Спокойно, как всегда.

— Тебя понял, — подтверждает голос. — Мы в пути семь минут. Секите за обстановкой!

Выключаю рацию. Командую уже своим:

— Приготовились! Через семь минут они будут здесь!

Парни отвечают, что все на местах, все готовы. Леха уже ушел к своей засаде. Мне с моего места никого из наших не видно, но это неважно.

Появляются машины Ревата. За последнее время по шоссе проехало лишь несколько легковых машин да пара грузовиков. И сейчас трасса пустая.

Реватовские тачки тормозят, не доезжая до машины Гнуса метров десять, и распределяются по обочине с интервалом в пять метров. Я примерно так и предполагал. Хорошо, что все-таки Реват не такой уж профи криминала, так как не поставил машину на другую сторону дороги в обратном направлении. Теперь получается, что самая последняя машина мне не видна. Но ее возьмет на себя Леха. Все машины у Ревата отечественные, «Жигули» девятой модели.

— Лех, последнюю видишь? — спрашиваю на всякий случай.

— Порядок!

— Начнете, как я.

Пленнику я приказал тоже смотреть за дорогой. Из средней машины выходят трое и из двух других еще шесть человек.

— Реват тот, который в черном плаще с мехом, — ориентирует меня боевик.

Реват вышел из «Жигулей», стоявших в середине. Двое его бойцов идут к машине Гнуса и проверяют, с кем он приехал. Гнус выходит на обочину. Реват подходит к нему и их оставляют наедине.

— Лех! Смотри задних! — говорю я в микрофон.

— Я их веду, — тут же отзывается приятель.

— Дима, тебе видны гости?

Димка находится с другой стороны дороги.

— Не совсем удобно, но если сыпанут на мою сторону, я их достану, — обещает парень.

Никаких сомнений, что те боевики Ревата, которые выживут после первых же выстрелов, попытаются укрыться за своими тачками. Коротким ударом в шею вырубаю пленника и прицеливаюсь в ближних ко мне боевиков. Они прикрывают Ревата, стоящего с Гнусом. Не спеша выбираю свободный ход курка.

Понеслась, бля! Автоматные очереди вспарывают тишину леса. Пули бьют в живую плоть, рвут ее на куски, выбивают стекла, дырявят капоты автомобилей, вышибают куски асфальта и поднимают камешки и песок с обочины.

После первых же выстрелов на краю дороги остаются трое боевиков. Еще парочка отваливается от машин на асфальт под прицельным огнем Лехиной СВД. Реватовские боевики пытаются укрыться за своими тачками. Но в дело вступает оружие Дмитрия. Реват и Гнус засели за машиной Гнуса. Валерка должен суметь взять Ревата во время перестрелки.

Через три минуты все закончено. Даже не верится, что прошло так мало времени. Прежде чем спуститься, двумя выстрелами приканчиваю пленника. Свидетелей быть не должно.

Валера скрутил Ревата и уже запихивает его пинками в машину. Прыгаем в тачку, и Валерка давит на газ. Дело сделано.

Глава тридцатая

Ревата и Гнуса мы отвезли в берлогу Волка. Нам не стоило особых усилий разговорить Ревата. Разумеется, его детские воспоминания нам не интересны. Но все, что касается московских друзей, я выслушал с особым вниманием. Все дело в том, что именно Лысый и его кореша помогали Чахлому поставить себя в Питере. Мой интерес тут приобретает двойную ценность.

Волк теперь знает, какие у меня дела в Питере, и рад этому несказанно. Я предложил объединить усилия двух команд в борьбе за влияние. Решимости и сил у нас хватит, чтобы противостоять многим хищникам, как в регионах, так и в столице. Но для подобного крупного плана нужна стратегия, которая даст нам возможность реально воплотить в жизнь все задуманное. Вполне естественно, что за один раз все до мелочей не продумаешь, так как нет достаточной информационной базы. Добыванием ее и предстоит заняться в ближайшие месяцы. Опять же после того, как благополучно разберемся с Лысым. Надеюсь, у нас все получится.

Я собираюсь в Москву. Леха и Волчара волнуются как никогда.

— Я дам тебе людей, Антоныч, — озабочен Волк моим предстоящим вояжем.

— Это пока не требуется, — успокаиваю его. — В случае серьезных неприятностей моим парням до столицы добраться из Питера гораздо ближе.

— Тебе, конечно, виднее, — неохотно соглашается Волк, — но ты все-таки старайся держать меня в курсе.

— Не волнуйся, все будет в ажуре, — киваю ему.

На следующий день я вылетаю в столицу.

В Москве снимаю квартиру в центре. Вызываю из Питера Серегу.

После моего рассказа о моей бригаде в Красноярске, причем значительно более старшей, чем наша команда в Питере, Сергей сидит совсем обалдевший.

— Ну ты, Антоныч, и темнила! — ржет он немного погодя. — И ведь ни разу об этом не сказал!

— Так было надо, — улыбаюсь в ответ. — Важно, чтобы вы сами поверили в свои силы.

— Ясно, — кивает друг. — И значит, выходит сейчас, что Лысый этот крыл Чахлого в нашем городе, а люди Лысого лезут не только в Питер.

— Все именно так. Нам нужно отследить его и его кентов. Убирать будем здесь всех к чертовой матери, чтобы больше о них не слышать!

— Наверное, стоит, Антоныч, подтянуть сюда парочку наших звеньев, — предлагает Сергей. — А что у тебя, кстати, есть еще по Владивостоку?

— Больше того, о чем ты знаешь, ничего нет. Монет мы оттуда сдернули и так достаточно, — смеюсь я. — Здесь в Москве их хозяева теперь на жопе волосы рвут...

— Вот это точно! — хмыкает приятель.

Почти неделя у нас уходит на слежку за Лысым и его людьми. Делать это чертовски сложно, но у нас все получается. Добывая информацию, заранее намечаем места, где можно эффективно атаковать.

По ходу дела меня заинтересовал один сухощавый типчик. То, что он завязан на большие деньги, это мы выяснили тогда, когда он привозил Лысому в казино деньги чемоданами. Такое происходило два раза. Этот сухощавый, которому на вид можно дать лет за пятьдесят или еще больше, фигура совсем темная. То, как он уходит от слежки, наводит на серьезные размышления. Я не хочу сказать, что в процессе наблюдения за сухощавым нас смогли засечь, нет, но то, как прикрывают сухощавого какие-то люди, причем не связанные с Лысым, и как артистически он вдруг пропадает из поля зрения, уже само по себе интересно.

— Может, он завязан на ФСБ? — предполагает Сергей, когда в очередной раз сухощавый смывается с глаз неизвестно куда.

— Ну да, — фыркаю я. — Так тебе и станут фээсбэшники таскать уголовнику деньги чемоданами.

— Да хрен их знает... — сомневается приятель.

— Можно предположить, что этот худущий старик, скорее всего, казначей Лысого. Это более подходящая версия, нежели твоя о федералах.

— Возможно, ты и прав, — кивает Серега. — Но нам придется все-таки выписывать парней. Вдвоем нам его не отследить.

Я в принципе согласен с ним. Пока у нас ни черта не получается. Лысый, как на ладони, и с ним все проще, хотя и он старается шифроваться, но по минимуму. А вот худощавый с чемоданчиками просто дразнит нас.

— Мне думается, что через того старого мудака денег проходит в год больше, чем весь российский бюджет, умноженный на десять, — говорит Сергей, когда мы с ним занимаем столик в небольшом баре на Земляном Валу.

— Может, это и так, но нам от твоего предположения толку мало, — говорю ему, принимаясь за телячью отбивную. — У меня есть мыслишка, что один чемоданчик мы все-таки забрать должны. Хотя бы в счет компенсации истраченных нервов в борьбе с Чахлым.

— Согласен, — кивает Серега, отпивая бренди из широкого, низкого стакана, в котором звякают по стенкам кусочки льда. — Они нам, суки, теперь по жизни должны, членососы задроченные!

После своего кратковременного пребывания в тюрьме Сергей готов давить всех подряд, невзирая ни на что. Он недавно сам говорил, что сейчас ему все авторитеты, разумеется кроме меня, по херу и видел он их на таком-то месте в разное время в разных позах и прочее, прочее... Серега говорит, что теперь сам себе авторитет, а остальных тварей будет рвать на тряпки в любое удобное для него время...

В зальчике света маловато, народу набилось уже более чем достаточно. Громче стала играть музыка, и над столиками поплыли сизые клубы табачного дыма, словно кучевые облака. Не могут здешние жлобы поставить нормальные кондиционеры! Но что мне все-таки нравится в этом заведении, так это официантки. Они почти раздеты и подобраны одна к одной. Москва, конечно же, может позволить себе выбирать... Стройные, осанистые фигурки девушек лет восемнадцати-девятнадцати с упругими грудями заметно улучшают пищеварение и возбуждают не только аппетит.

Слегка похлопываю по попке проходящую мимо девчонку. Она оборачивается и мило мне улыбается, показывая белейшие зубки.

— Классная коза! — замечаю Сереге.

У приятеля сейчас на уме только война.

— Выдерни ее в машину и дай на клык, — безразлично советует он, занимаясь едой.

Обдумываю поступившее предложение. Прислушиваюсь к себе и понимаю, что хочу телку, и именно сейчас. Мой приборчик уже подпирает ремень брюк.

— Эй! Малыш! — окликаю понравившуюся девушку.

Она как раз в этот момент проходит возле соседних столов. Официантка кивает мне приветливо и, сделав крюк по залу, подходит.

— Вы хотите что-нибудь заказать? — улыбаясь, интересуется она.

— Хочу, — улыбаюсь в ответ и закуриваю сигарету. — Тебя. Есть десять минут?

Девушка слегка растерялась.

— Я ведь на работе, — слабо возражает она.

— Накинь на себя что-нибудь, — советую я. — У меня машина рядом. Десять минут — и у тебя будет пять сотен зеленью...

Девушка думает не долго:

— Я сейчас выйду... — снова легкая улыбка, и она убегает.

Провожаю ее взглядом хищника, нацеленного на добычу.

— За эти бабки ты ее мог бы разложить прямо на этом столе, — усмехается приятель.

— Боялся испортить тебе аппетит, — хмыкаю в ответ.

— Меня такие сцены не пугают, — отмахивается Серега.

Вряд ли его бы испугало, даже если бы на этом столе кого-то резали живьем. Поднимаюсь и выхожу на улицу. Идет легкий снежок, но на тротуарах он тает. Сырость и слякоть. Кутаюсь в куртку, дожидаясь свою телку. Нажатием кнопки на брелке дистанционно разблокирую дверцы своей «БМВ». «Бомба» у меня седьмой серии, а значит, достаточно вместительная и комфортная. Наконец появляется понравившаяся мне официантка в накинутой на плечи коротенькой норковой шубке.

— Идем? — говорит она мне, все так же призывно улыбаясь.

Желание от сырости у меня не пропало. Забираемся в машину на заднее сиденье. В салоне холодновато, поэтому, перегнувшись, вставляю ключ в замок зажигания и завожу двигатель.

Девушка все еще кутается в свои меха. Притягиваю ее к себе. Она легко подается. Девчонка вся упругая, крепкая и в то же время податливая.

Воздух в салоне прогрелся. Девчонка упирается в мой набухший член под материей брюк своей ладонью. Наклоняется ниже и расстегивает молнию у меня на брюках. Жаркое, влажное, мягкое обволакивает меня, сжимает, заставляет откинуться головой на спинку сиденья и закрыть глаза. Девчонка умеет это делать и за пять минут выжимает из меня все соки. Вот ведь сучка! Просто талант! Если бы она попросила денег больше, я бы ей сейчас дал без разговоров. Но она не просит, а лишь интересуется:

— Будем еще как-нибудь?

— Все, малыш, — блаженно выдыхаю я. — Только не сегодня. Иначе я никого не смогу убить.

Девушка тихо смеется, оценив шутку бандита. Отсчитываю ей пять сотенных бумажек с ликами президента.

— Это много за такое, — удивляется она и деньги пока не берет.

Мне по душе ее скромность.

— Денег много не бывает, — улыбаюсь ей. — Я хотел бы иметь твой телефон.

— У вас есть на чем записать? — кивает она и, взяв доллары, запихивает их в бюстгальтер.

Достаю записную книжку и ручку. Девушка диктует свой домашний телефон.

— Спасибо, — благодарю ее.

Она удивленно вскидывает на меня глаза. Наверняка благодарностей от клиентов на словах она не получала.

— Так я пойду? — спрашивает Маша. Так ее зовут.

— Конечно.

Девушка убегает. Выключаю двигатель, перебравшись на сиденье вперед закуриваю, смотрю за выходом из бара, куда только что скрылась девчонка. Замечаю там какое-то странное движение. Похоже, народ удирает из заведения. Что-то там произошло, пока я здесь развлекался. Смутное предчувствие заставляет меня поторопиться.

Выскакиваю из машины, на ходу передергивая затвор «Глока». По дороге мне попадаются спешащие на выход парочки. Заскакиваю в зал. Я думал, что тут все серьезно, а оказывается, очень даже смешно. Часть столиков уже переломана и на полу валяются перевернутые стулья, куски разбитой посуды, затоптанные грязные скатерти. В разных позах корчатся приземленные парни. Их на полу уже трое, но будет еще больше. Здесь прогнозировать легко. Серега развязал в баре конкретную драку. Сейчас он машется одновременно с четырьмя типами. Пацаны стандартные, с бритыми затылками, яростно атакуют. Серега же явно не торопится, работает с увлечением и очень обстоятельно. Я его понимаю: после сытной еды нужна легкая разминка. Вряд ли моему корешку так уж необходима помощь.

Присаживаюсь на ближайший столик, убрав пистолет. Оружие у парней не в ходу, и волноваться не за что. Хотелось бы, чтобы мой приятель не задерживался. Мы должны успеть укатить отсюда до прибытия ментов.

Несколько хороших ударов — и вот уже Сергей остается с двумя противниками. Из бара повыскакивали все посетители, и теперь он пуст. Относительно, конечно. Администрация заведения и другие служащие тоже не показываются на глаза. Музыка почему-то прекратилась.

— Тебе помочь? — громко интересуюсь у друга, прикуривая сигарету.

— Не! Отдохни! — веселится приятель. — Тут дел-то, — кхекает он на мгновенном развороте и вышибает зубы еще одному быку.

Неудачник, лязгнув клыками и взмахнув ногами выше собственной головы, врезается хребтом в стойку бара и затихает. У Сереги теперь только один противник, который быстро перемещается по помещению, не предоставляя моему другу возможности ударить его.

— Завязывай! Нет времени! — говорю приятелю, посмотрев на часы.

Сергей с сожалением смотрит на противника и прекращает всякие маневры.

— Ну ты че, гнида! — рычит тот, растопырив руки в пяти метрах от Сереги. — Иди сюда, козлина!!

Вот этого лучше бы парень не говорил. Пистолет Сергея остался в машине под сиденьем, и он, повернув голову, обиженно смотрит на меня. Отказать другу перед смертельным оскорблением я не могу. Выхватываю «Глок» из-за пояса и швыряю приятелю. Тот резко перехватывает пушку в воздухе и тут же без подготовки трижды стреляет. Бычок не успел даже попытаться сбежать: он огребает все три «маслины» и заваливается брюхом на ближайший к нему стул. Здесь у нас на сегодня все.

Немедля выходим из бара к машине. Полицейских тачек не видно. Возможно, ментов никто пока и не вызывал, но после Серегиных выстрелов сообщат обязательно. Никакой хозяин не захочет иметь в своем заведении незапротоколированного чужого жмура. Кому охота возиться с трупаками?

Двигатель у моей машины прогрет, поэтому рву с места без задержек. По плану у нас еще на сегодня достаточно дел, и я не зря шутил по поводу того, что мне еще кого-нибудь нужно сегодня пристрелить.

Глава тридцать первая

— С чего ты там завязался? — спрашиваю Серегу о баре.

— Да, дерьмо, — улыбается он, сидя рядом на пассажирском месте и беззаботно дымя сигаретой. — Подвалили эти уроды и с ходу, мол, отскочи отсюда, братан, тут наше место и прочее. Столик им наш был нужен, что ли?

— Теперь им потребуется скорая, да кое-что другое... — усмехаюсь, сворачивая на седьмую Кожуховскую, и еду к Южнопортовой.

Я слегка кружу, но это не страшно, так как время у нас еще есть.

— Ты все-таки хочешь прихватить того типа? — интересуется приятель, видя, в каком направлении мы едем.

Показываю Сереге на электронное табло на приборной панели. Там высвечивается время.

— Он сейчас будет на месте. Почему бы нам с ним не поговорить?

— Давай поговорим, — соглашается приятель.

— Ты пушку мне отдай... — напоминаю ему.

— На ней уже «мокряк», — возражает Серега. — Возьми лучше мою.

— Интересно, — усмехаюсь я. — С каких это пор мы их считаем?

Серый ржет, но ствол не отдает, не желает меня подставлять. А какая, на хрен, разница, если через часок у нас обоих железо будет меченым?

До нужного места добираемся без приключений. В процессе слежки за Лысым и его Казначеем мы отсмотрели нескольких приближенных к авторитету людей. Сейчас нас интересует мужик, с которым мы не раз видели Казначея и который даже сам таскал один из чемоданчиков в своих руках. Этому мужику лет за сорок, он довольно толст и является владельцем автосалона.

— Добрый вечер! Что бы вы хотели у нас посмотреть? — радушно встречает нас менеджер.

— Мы хотели бы видеть твоего хозяина, — отвечаю ему так же приветливо.

— По какому вопросу? — снимает встречающий с лица улыбку, понимая, что мы не покупатели.

— Он здесь?! — рычит на него Серега.

— Вы тут потише, ребята, — хмуро предупреждает менеджер и скалится в Серегину сторону.

— Ты нам, сука, здесь зубы не показывай! — спокойно говорю парню. — Мы от Лысого, а без звонка потому, что так приказано.

— Так бы сразу и говорили, — расслабляется парень и кивает в сторону другого входа. — Миша, проводи! — говорит он стоящему недалеко охраннику.

Тот жестом приглашает нас следовать за собой. Мы и следуем. Человек, который нам нужен, на месте. Заходим в кабинет. Толстый находится здесь не в одиночестве, а с приятелями. В помещении еще трое. Двоих из них я видел с Лысым.

— К вам, — говорит охранник своему шефу и смотрит на нас.

Без слов прохожу в кабинет и падаю в свободное кресло. Серега остается возле дверей. Все смотрят на меня.

— Есть разговор, — говорю я спокойно. — Мы от Трофима.

Я слышал, как в казино к Казначею обращались именно так. Мужик за столом кивает мне.

— Подождите в зале, — бросает он своим парням.

Те, ни слова не говоря, быстро поднимаются и выходят. Мужик выгребается из-за своего стола, проходит к креслам и садится напротив меня. Серега по-прежнему контролирует дверь.

— Что он просил передать? — спрашивает хозяин кабинета.

Стряхиваю пепел в пепельницу, уже полную окурков, и лезу во внутренний карман теплой куртки. Обратно вытаскиваю руку уже с пистолетом. Девятнадцатизарядный «Глок» смотрит толстяку в брюхо. Тот громко икает и замирает, держа в пухлых пальцах неприкуренную сигару. Тоже мне, Черчилль хренов! Мужик явно удивлен и обескуражен.

— Разговор серьезный, — предупреждаю я для начала.

— Я понял, — соглашается он, — но зачем Трофиму...

— Заткнись! — обрываю его. — Я немного неточно сказал, когда вошел. Мы не от Трофима, а как раз по поводу его самого. Понял?

Мужик начинает врубаться, что происходит.

— И что вы хотите от меня? — глухо интересуется он.

— Мы хотим узнать все о Трофиме. Все! И ты сейчас нам об этом расскажешь!

И мужик рассказывает. Может быть, что-то в процессе повествования он и утаил, но и услышанного нам вполне достаточно.

— Когда и как он вновь повезет деньги? — интересуюсь я.

— Вы понимаете, что вы делаете? — нервничает хозяин кабинета.

— Вполне, — киваю ему дружески. — Говори!

— Меня не извещают о таких передвижениях средств, — выдыхает он.

В это я могу поверить: Трофим — казначей, и в курсе его поездок, скорее всего, только сам Лысый. Но могут ведь быть и варианты.

— Ну, а если все-таки тебе подумать, — на всякий случай спрашиваю я снова.

Тот понуро кивает и говорит:

— Я знаю только, что завтра Трофим должен с кем-то встречаться в аэропорту. Слышал, как об этом говорил Лысый. Но насчет того, что он там повезет, мне не известно.

Уже неплохо. Дело Казначея — деньги. Значит, вариант у нас уже наклюнулся.

— Адрес Трофима! — приказываю мужику.

Тот, слегка повздыхав, все-таки выдает информацию. Запоминаю. Вот теперь, кажется, здесь все. Можно уходить Серега успел навинтить на ствол пистолета глушитель.

Поднимаюсь из кресла и киваю приятелю. Тот быстро вскидывает оружие, и в кабинете тихо звучит глухой хлопок выстрела. Толстяк дергается, получив пулю в грудь и контрольный в голову.

Навинчиваю глушитель и я на свою машинку. Автосалон придется зачистить. Нас здесь видело слишком много лишнего народа. Десять минут тратим на заметание следов. Когда мы уезжаем, в автосалоне в живых осталась лишь девушка за кассой. Нас она вряд ли успела рассмотреть, потому что хлопнулась в обморок, как только увидела первый труп в зале. Не всегда, оказывается, плохо иметь слишком впечатлительную натуру.

С утра мы занимаем свои позиции. Адрес Казначея нам теперь известен. Это недалеко от МКАД. Мы с Серегой сидим в разных машинах и с двух сторон ведем наблюдение за домом Трофима. Живет Казначей, как ни странно, не в собственном доме где-нибудь по Рублевскому, и не в центре, а в обычной пятиэтажке еще сталинской постройки. У нас с Серегой есть рации, и мы можем переговариваться.

Скучнейшее это дело — сидеть в засаде и ждать. Проходит четыре часа, когда я замечаю движение возле подъезда. На небольшой пятачок для парковки машин выруливают два «шестисотых» «мерседеса». На выезде занимает сторожевое место джип «лендровер». На крыше одного из «мерседесов» пришпилена мигалка на магните. Нет сомнений, что все машины имеют спецпропуска и досмотру не подлежат. Хрен знает, каким способом братва делает себе такие серьезные «корочки»? Но ведь делает и спокойно ездит, таская с собой гору стволов и иных нелегально приобретенных вещей. Кстати, надо будет подумать насчет таких же бумажек и для себя. Денег у нас теперь до черта, так что хватит на все.

Один из «меринов», на котором катается Казначей, отливает синевой броневых стекол. Тонировка у них заводская, поэтому специфичность подобных стеклышек очевидна.

— Я поеду первым, — говорит по рации Сергей. — Будем меняться по обстановке.

— Начинай, — соглашаюсь с ним.

Из подъезда выходят четверо охранников, осматриваются. Только после этого появляется Казначей с двумя дипломатами. Все это мы видели с Серым уже не раз. Казначей возит по два чемоданчика. Он усаживается в бронированный «мерседес».

Двигатель у меня заведен, и я жду, когда кортеж машин выедет со двора. Следую за ними на значительном расстоянии, ориентируясь по машине Сереги или по его сообщениям. Приятель каждые три минуты передает по рации маршрут, по которому он идет за объектом.

Судя по тому, как Казначей выходил с чемоданчиками, я понял, что дипломаты у него загружены довольно плотно. С пустым чемоданчиком Трофим и ходит совсем по-другому.

Преследуем машины Казначея. Странно, что он не пошел на кольцевую, ведь так легче и удобнее добираться до аэропорта.

— Мы сейчас на Коптеевской, — передает Серега. — Можно начинать. Ты их спокойно подсечешь. Они пойдут по Академической.

— Давай попробуем, — соглашаюсь с ним и утапливаю педаль газа.

Успеваю проскочить два светофора под переменку, а третий пролетаю уже на красный свет. Хорошо, что нет гаишников.

— Ты где? — спрашивает приятель.

— Я немного сзади вас. Обгоняй их, а я буду отсекать джип.

— Тебя понял, пошел на обгон!

Сейчас начнется самое интересное. Мы вооружились до предела. Оружие для нас привезла специальная группа из Питера. Я на своей «БМВ», и у Сереги такая же тачка. Наши «бэ-эмвэшки» нигде не зарегистрированы, но тем не менее все бумаги на них есть.

Паркуюсь возле тротуара и выхожу на дорогу, не удаляясь от машины. Высматриваю кортеж Казначея во встречном потоке машин. В первую очередь замечаю машину Сереги. Приятель идет на приличной скорости и проносится мимо меня.

— Я тебя вижу, прошел мимо, — говорю в рацию. — Теперь особо не спеши, они сейчас наверняка изменят маршрут.

— Понял! Торможу! — тут же отзывается Сергей.

Убираю рацию. Машины Трофима мне уже видны. Открываю заднюю дверцу «БМВ» и жду, оценивая расстояние. Теперь можно!

Ныряю в салон и забираю из-под куртки, лежащей на заднем сиденье, компактный гранатомет револьверного типа. Это английская машинка. У нас таких еще не делают. Наши отечественные заряды к ней не подходят.

Гранатомет у меня в руках похож на короткое охотничье ружье с большим барабаном. Два хлопка — и две гранаты точно врезаются в борт джипа сопровождения. Взрывы, визг покрышек тормозящих на шоссе машин, громкие удары гнущегося железа при столкновениях. Не обращая внимания на общую суматоху, заскакиваю в свою тачку. Ни одна из машин Казначея не остановилась. Что ж, это тоже верно. Выхожу на связь. Не знаю, видел ли меня кто из прохожих, когда я стрелял, но это и не важно. Все предусмотрено. Главное, чтобы сейчас нам никто не помешал.

— Ты их видишь? — спрашиваю приятеля.

— Ага! Уходят на большой скорости, но я их пока держу!

— Ориентируй! Иду за тобой!

Серега говорит, как мне ехать. В Москве мы освоились неплохо, и проблем у нас нет. Казначей рванул в сторону кольцевой. Сергей мне говорит, как лучше зайти на машины Трофима, чтобы опередить удирающие тачки.

Несусь среди транспорта на грани. Пока еще никого не задел, но, как говорится, это дело поправимое. Тут же, уворачиваясь от большегрузного КамАЗа, правым бортом вбиваюсь в бочину какого-то «мерседеса». Водитель «мерса» с испугу выворачивает руль и с грохотом вылетает через поребрик на газон, где успешно врезается в опору рекламного щита.

— Идем по Коровинскому! — сообщает Серега.

Я уже почти проскочил Зеленоградскую. Еще несколько мгновений и вылечу на МКАД.

— Скажешь, куда пойдете! — рявкаю в рацию, закладывая вираж вправо, чтобы по развязке выскочить на кольцо.

— Они... Бля! Они на тебя идут! Ну ты смотри, что за суки!! — голос друга обрывается.

У Сереги что-то произошло. Узнавать некогда. Торможу, хватаю гранатомет и выскакиваю из машины.

По кольцевой транспорт прет в обе стороны и его достаточно много. Особенно хватает грузовиков. Нужно быть внимательным, Казначей мог вызвать подкрепление.

Стою возле капота, держа гранатомет стволом вниз. С проезжающих машин оружие вряд ли видно, так как я прикрылся своей «бээмвушкой». Всматриваюсь вперед, надеясь заметить тачки Казначея издалека. Идут, твари! Откидываю планку прицела. Расстояние больше ста метров. Вскидываю пушку и, прицелившись, мягко давлю на спуск.

По моей стороне дороги именно в этот момент проносится КамАЗ, и граната попадает в контейнер. Взрыв. Приседаю за капотом. Твою мать! Грузовик заносит, некоторое время он идет юзом и переворачивается на бок. Я уже снова выцеливаю «мерседесы», которые тормозят, увидав, что на трассе происходит нечто странное. Хлопок — и граната лупит в совсем ненужную мне тачку. Водителю этой иномарки явно сегодня не повезло. Снова выцеливаю «мерседесы». Хлопок, граната ударяет под машину Казначея. Там расцветает и вспухает огненный шарик. Лезу в свою тачку, чтобы перезарядить гремучую машинку, но вижу, что «мерседес» Казначея снова набирает скорость. Вот зараза! Перезарядить не успею. Где Серега?! Хватаю АК, лежавший на переднем пассажирском сиденье. Вокруг останавливаются машины, начинается суматоха, граничащая с паникой. Из тех тачек, что ближе ко мне, водители убегают подальше от шоссе. Валите все на хер! Здесь концерт не для слабаков. Длинными очередями поливаю по второму «шестисотому». Стекла в его дверцах с левой стороны открыты, и оттуда по мне также ведут огонь. Хрен вам всем в грызло! Нате, твари, получите! Мгновенно меняю рожок и вновь поливаю машину. Слышу, как за моей спиной пули нещадно бьют «БМВ». Вспышка, взрыв. Взорвался «мерседес» сопровождения. Он не был бронирован. Ярко вспыхнув, машина резко сбрасывает ход и медленно откатывается к обочине. Интересно, куда это я им попал, что мальчиков так подбросило?

«Мерседес» Казначея уходит с развязки на Долгопрудный. Ну уж нет, подождите, мальчики, я с вами! Запрыгиваю в свою машину и давлю на газ. Кажется, в движок моей «бэшки» не попали, только по боковым стеклам и дверцам. И меня самого не зацепило лишь по чистой случайности.

На трассе в обе стороны образовались пробки. Разворачиваюсь, не жалея своей машины, и устремляюсь в погоню за Казначеем.

— Серега! — вызываю приятеля. — Братан, ты где?!

— Да здесь я! Все путем! Пришлось отвалить слегка в сторону. Меня тут менты хотели тормознуть, заслончик устроили, так я им таких подарков накидал, загребутся разбирать!

— Они на Долгопрудный пошли! Давай за мной!

— Понял! Скоро буду!

Давлю на газ и вскоре вижу нужный мне «мерс». «Шестисотый» приткнулся у обочины, и дверцы распахнуты. Людей рядом не видно. Место здесь такое, что уйти им особо некуда. Это было бы видно, так как с двух сторон открытое пространство.

На пару секунд притормаживаю перед «мерседесом» Казначея. Никого. Граната, выпущенная из моего гранатомета, раздербанила заднее колесо «мерина». Такие колесики на броневиках не простреливаются только из легкого стрелкового оружия, а вот от гранаты им деваться некуда. Поменять колесо ребята не успели. И, скорее всего, Казначею удалось свалить отсюда на какой-нибудь попутной машине. Вновь устремляю «БМВ» вперед.

— Я тебя вижу! — доносится до меня по рации голос приятеля.

Смотрю в зеркальце заднего вида. Точно. Серегина машина летит следом за мной.

— Отлично! Но эти парни бросили тачку и, скорее всего, поймали другую!

— Может быть, мы их догоним? — надеется Серега.

— Попробуем!

Но не все так просто, как хотелось. Казначея мы упустили. Пришлось бросать и свои машины. «Бээмвушки» мы спалили. Собрав оружие в сумки, уходим в лес, не доезжая до Долгопрудного. Направляемся в сторону трассы, идущей на Дмитров. Некоторое время тащимся по шпалам железной дороги, затем снова уходим в лес. Придется возвращаться в Москву пехом и налегке. Но еще не вечер, мать твою, Казначей!

— Все одно Трофима достанем! — злится Серега. — Антоныч, давай сначала замочим Лысого, чтобы после за ним не носиться...

Предложение нормальное. Так я и сам думал только что.

— Именно этим мы и займемся завтра, — говорю приятелю.

Глава тридцать вторая

Я отзвонился в Питер и заказал все, что нам будет необходимо. Срок исполнения заказа — три дня.

Серега живет на другой квартире, и я могу нормально побыть эти дни в одиночестве. Ну, не совсем так... Пока мне не пригонят новую тачку, придется бродить по городу пешком или ездить на такси. Вечером качу в центр. Стало скучно смотреть тупые штатовские боевики по видео и хочется найти себе на вечер какую-нибудь телку.

Гуляю по вечерней Москве. Погода в этот раз отменная. Внезапно выпало достаточно свежего снега и даже слегка подморозило. Вполне возможно, что завтра он весь растает, но зато сегодня там, где тротуары очищены, нет никакой слякоти и луж. Поэтому ничто не испортит мои новые дорогие ботинки и не загадит низа брюк, стоимость которых равна подержанным «Жигулям».

Побродив среди народа и слегка все-таки замерзнув, решаю зайти куда-нибудь перекусить.

Ничего приличного пока на пути не попадается. Зато возле ларька, торгующего всякими дешевыми китайскими безделушками, стоит интересная девушка. Девчонка действительно симпатичная, и фигурка у нее именно такая, какие мне нравятся. На девушке старенькое, но еще хорошо выглядящее пальто, не новые сапожки и беленькая вязаная шапочка. Подхожу. Девушка с интересом разглядывает вывешенную в витрине бижутерию.

— Интересуетесь? — спрашиваю ее.

Она поднимает на меня взгляд. Ресницы у нее длинные и пушистые, загнутые кверху. Косметики мало. Девчонке лет девятнадцать, и вся она, кажется, дышит свежестью.

— Вы... мне говорите? — не понимает она, к кому я обратился.

— Именно к вам, — киваю ей с улыбкой. — Я не знаю, о чем спросить вот так, с ходу, поэтому и говорю первое, что приходит на ум. А если честно, то хотел бы узнать, как вас зовут и можете ли вы знакомиться на улице?

Девушка улыбается моей откровенности. Это ей так кажется, что все откровенно. Откровенность у меня тоже продуманная...

— Ну-у... — тянет она. — Я даже и не знаю...

— Нет, нет! Вот здесь вы не правы, — уверяю ее. — Это я не знаю, как вас зовут. Это нечестно!

Девчонка смеется.

— Лина, — представляется она.

— Лина? — удивляюсь я. — Какое редкое имя. Но, может, вы меня обманываете и вас зовут Лена?

— Какой вы недоверчивый! — фыркает она. — Именно Лина, а не Лена.

— Я понял. Извиняюсь, был не прав, исправлюсь. Разрешите загладить вину и пригласить вас куда-нибудь поужинать.

Девушка отрицательно мотает головой.

— Вряд ли это получится, — говорит она, улыбаясь. — Я прощаю вам и без этого. А у меня здесь назначена встреча с моим молодым человеком, и он вот-вот должен подойти.

Развожу руками:

— Но ведь это неправильно, когда девушка ждет мужчину. Конечно, если это у вас не деловая встреча. Успокойте меня и скажите, что вы встречаетесь с мужчинами только по делу...

Девушка все так же мило улыбается и вздыхает:

— К сожалению, я вынуждена вас огорчить. Это не деловая встреча, а свидание.

Вот дура. Она думает, что я действительно огорчен.

— Но, может, ваш джентльмен не придет и вы примете мое приглашение? — настаиваю я.

— Вряд ли. А вот и он! — девчонка смотрит куда-то за мою спину.

Поворачиваюсь, чтобы проследить ее взгляд, и вижу, что к нам спешит стремный типчик из молодняка, в грязных джинсах и косухе. Шея у парня замотана длинным желтым шарфом и в мочках ушей висят серьги.

— Это ваш друг? — изумлен я вполне откровенно.

— Да, — коротко бросает девушка.

— Привет! — здоровается с ней пацан и кидает на меня настороженный взгляд.

Не было бы этой девчонки, он бы у меня свои серьги сожрал вместе с ушами.

— Привет! — отвечает ему девчонка.

Просто удивительно, что такая коза имеет подобного приятеля. А впрочем, если бы я был ее другом, то это тоже было бы интересно с точки зрения нормального законопослушного гражданина... Наверное, нормальных телок мне не достанется, одни только шлюхи, сообразно моей работе...

Стою и с интересом смотрю, что будет дальше. Мне, конечно, до фонаря, если девчонка свалит с этим придурком, но все же слегка задевает.

— До свидания! — кивает мне девушка и отходит.

Пацан тянется рядом с ней. Провожаю их взглядом, но сам иду в том же направлении. Парень несколько раз все-таки оглянулся на меня и что-то начинает выговаривать девице. Судя по его жестикуляции, говорит он очень раздраженно. Интересно, чем это у них все закончится? Останавливаюсь прикурить. Мне кажется, парочка слегка уже разругалась. Они остановились и бурно выясняют отношения. Точно, ругаются. Приятно, если это из-за меня. Значит, я могу стать предметом ревности. И все-таки жаль, что нет возможности проучить этого ублюдка... Девушка что-то высказала парню и пошла дальше одна. Пацан остался стоять на месте. Прохожу мимо него.

— Сука! — цедит парень сквозь свои редкие зубы явно в мою сторону.

Торможу, поворачиваясь к нему. Тут же быстро отмечаю, что поблизости ментов нет.

— Ты что-то вякнул, сынок? — интересуюсь почти мягко.

Парнишка молчит и только смотрит волком. Никакой ты, засранец, не волк и даже не волчонок. Ни одна тварь не может так на меня

смотреть безнаказанно. Коротким ударом точно
в середину подбородка вырубаю щенка наглухо.
Его рыльце меня злило с самого начала, и жаль,
что я не могу его пристрелить. Ствол я оставил
дома. Странные мысли приходят мне в голову.
Дикое желание прикончить сосунка. Да-а... Совсем стал больной человек...

Девушка стоит на автобусной остановке. Подхожу, встаю сбоку.

— Поругались? — спрашиваю ее.

— Между прочим, все из-за вас, — мрачно
отвечает она, не поворачивая ко мне головы.

— Это чертовски лестно для меня, — говорю с деланной серьезностью. — Я ведь колдун,
каких еще на земле не было. А вы, наверное,
сказали ему, что встретили человека, которого
ждали всю свою сознательную жизнь. Признай-
тесь, ведь это было именно так?

Девчонка все-таки развеселилась.

— Ну у вас и самомнение! — возмущается
она, но не сердито. — Вот так все у вас просто,
а я должна была выслушать всякое хамство.

— Хамство — оно, вообще-то, всегда наг-
лое... Но не я ведь, в конце концов, подбирал
вам друзей! Тем более такого заморыша. Впрочем, можете быть спокойны, он уже наказан.

Девчонка после моих слов быстро оглядывается вокруг встревоженным взглядом и наверняка

думает, что сейчас увидит труп приятеля. Но «ко-суха» отсюда не видна.

— Что вы с ним сделали?! Где он?! — волнуется она.

— С ним все будет в порядке, — успокаиваю ее. — Но в следующий раз он не станет рычать на проходящих мимо людей.

Подходит автобус. По тому как оживилась девушка, понимаю, что это ее номер.

— Мне нужно ехать... — говорит она и идет к дверям.

— Я вас провожу.

Один черт мне нечего делать, да и на автобусе я не ездил уже лет сто, но девушка упрямится:

— Я доеду сама, без провожатых!

На задней площадке «Икаруса» стоим вместе. Девушка молчит, демонстративно отвернувшись от меня к окну. Народу в автобусе хватает. Столько лет не ездил на общественном транспорте, и еще столько же хорошо бы не ездить. Полный автобус хмурых, убитых рож. Пассажиры наводят тоску. Никак не могу понять, какого хрена эти пролетарии, вечно злые и задроченные жизнью, не хотят даже попытаться взять судьбу в свои руки. Только ходят и всем плачутся на свою обездоленность. Мне кажется, всего-то и нужно человеку иметь в себе уверенность, пошевелить хоть раз ленивыми, забитыми алкоголем мозгами и попытаться что-то сделать для самого себя. Я уже не раз убеждался на собственном примере, что от уверенного в себе человека словно исходят какие-то волны, которые заставляют других подчиняться.

— Лина, — говорю девчонке, — может все-таки заедем куда-нибудь, поужинаем вместе?

— Оставьте меня, я еду домой, — огрызается она тихо.

Двое стоящих рядом рабочих в китайских засаленных пуховиках смотрят на меня слишком хмуро.

— Ну, чего уставились, уроды?! — спрашиваю их без особой злобы. Но достаточно и этого. Мужики отворачиваются. Вот так будет лучше для вас, бараны! Или кролики? Пусть даже два кролика, но удава им не испугать...

— Вы такой же грубиян! — обиженно бросает мне Лина, протискиваясь на выход.

— Почему такой же? — удивляюсь я, следуя за ней. — Мне кажется, что все-таки гораздо круче.

Девчонка идет от остановки куда-то в глубину темных дворов. Следую за ней.

— Вы так и будете ходить за мной? — раздражается она, но не останавливается.

— Ты мне понравилась, и я не хочу тебя потерять, — перехожу на «ты». Раз не даешь своего телефона и обещания поужинать со мной, приходиться самому узнавать, как тебя найти в будущем.

— Я иду к подруге, — говорит она.

— В таком случае мне будет известна твоя подруга.

Девушка резко останавливается и поворачивается ко мне лицом. Вид у нее строгий, неприступный и решительный. Я бы даже сказал — гневный.

— Отстаньте от меня! Вы мне уже надоели, бандит! — выпаливает девушка от души.

— Было бы интересно, если бы людей ругали только по их профессии, — возражаю спокойно. — Обычно ругают или ментов, или, как ты изволила выразиться, бандитов. А как бы интересно звучало: «Отвали от меня, слесарь!»

Девушка смотрит на мое удивленное лицо и прыскает смехом. Кажется, дело у нас все-таки сдвинется... Пока она не успела вернуть свою серьезность, говорю:

— Значит, мы идем? — улыбаясь ей как можно более обаятельней.

Лина в раздумье смотрит на меня.

— И все-таки я думаю, что нет, — говорит она тихо.

Мне уже надоело возиться с ней. Обычная симпатичная телка.

— Что же тебя во мне не устраивает, черт побери?! — возмущаюсь я вслух. — С наркоманами общаешься, а со мной не желаешь! По-моему, я гораздо лучший для тебя вариант. Или ты такая же, как и твой знакомый слизняк?

— Он не наркоман! — возражает Лина.

— Да ты же видела его глаза! — удивляюсь ее незнанию. — А запаха спиртного от парня не было.

— Я вам не верю, — уже не так уверенно говорит девушка.

Мы стоим в подворотне. В стенке длинной арки старого дома есть дверь, совершенно обшарпанная и еле держащаяся на петлях.

— Поверишь... Пойдем! — беру ее за руку и веду в подъезд.

Девчонка слабо сопротивляется.

— Что вы делаете? — тихо вскрикивает она. — Я не хочу туда!

— Ерунда! — успокаиваю ее. — Нам стоит познакомиться поближе. Мне надоело все время пререкаться.

Заходим в подъезд. Здесь тепло и темно. Разворачиваю девчонку спиной к стене и, прижав ее, целую в сочные губы. Она пытается лишь слегка и слабо сопротивляться, но мне это не мешает. Расстегиваю ее пальто, а заодно и верхнюю половину блузки. Груди у девушки упругие и приятно заполняют теплом мою ладонь. Ощущаю, как быстро напрягаются ее соски. Опустив руки, задираю короткую юбчонку девушки на талию и обхватываю крепкие круглые ягодицы, обтянутые колготками, которые холодят пальцы. Лина уже жарко дышит мне в лицо, закрывая глаза.

— Нет! Нет! Не надо! — шепчет она, но не сопротивляется.

Лина лишь положила свои руки мне на кисти и несколько сжала их. Я же спокойно приспускаю с нее колготки с трусиками. Расстегиваюсь и сам, вытаскивая наружу свой дрожащий от возбуждения и напряжения член.

— Не надо! Ну, пожалуйста! — шепчет Лина, но звучит это совсем уже по-другому.

Приспущенные колготки сковывают ноги девушки, и мне их не раздвинуть на нужное расстояние. Разворачиваю девчонку спиной к себе и заставляю нагнуться.

— Упрись в батарею! — приказываю ей.

Наконец все расположилось так, как мне нужно. Я мягко, но с трудом вхожу во влажное и горячее.

— Ай! — вскрикивает Лина и тут же замолкает.

Качаю ее, обхватив руками мягкие обводы восхитительных бедер и тонкую девичью талию. Через некоторое время девушка уже громко стонет и всхлипывает. Еще немного, и она кончает. Через секунду кончаю и я. Это было здорово.

Достаю носовой платок и вытираю свой прибор. Девушка замерла все в той же позе и тяжело дышит, не в силах разогнуться. Поддерживаю ее рукой за животик, который подрагивает.

— Ты в норме? — спрашиваю ее.

— Да... — на выдохе с хрипотой говорит она.

Помогаю ей распрямиться. Девчонка совсем обессилела. Приходится помочь ей одеться.

— Ты что, целка была? — удивляюсь я.

— Грубо, — говорит она с закрытыми глазами, прислоняясь спиной к стене. — Я была девочкой.

— Тоже не хреново... — Усмехаюсь и помогаю застегнуть ей блузку.

Вот уж действительно, приходится ухаживать за ней, как за ребенком.

— Ну... Теперь вы добились своего? — спрашивает она с горечью в голосе.

— Во всяком случае, добился некоторого взаимопонимания, — соглашаюсь с такой трактовкой моих действий.

Девчонка думает, что раз я ее уже трахнул, то теперь и отвалю в сторону.

— Меня вообще-то Антонычем зовут, — запоздало представляюсь я. — Иди сюда, девочка... — притягиваю ее к себе и целую в губы.

Девчонка довольно жарко отвечает. Выходим на улицу. Смотрю на часы. Оказывается, еще очень рано, а из-за зимней темноты кажется, что времени уже черт знает сколько.

— Ты здесь живешь? — спрашиваю свою юную подружку.

Она кивает:

— Здесь.

— Давай зайдем, и ты переоденешься... — предлагаю ей.

Девушка мнется.

— Я... — спотыкается она на полуслове. — У меня там отец... Мама, она хорошая...

— А что твой отец? — не понимаю я. — У тебя с ним плохие отношения?

— В общем-то да. Он иногда даже меня бил... Это когда я приходила чуть позже десяти часов.

— Пойдем, — уверенно зову ее. — Он никогда больше тебя не тронет.

— Не надо, Антоныч! — спохватывается Лина. — Это не то...

— Все то. Пошли!

Заходим к Лине. Нормальная, ухоженная квартирка. Чистая, опрятная, но все в ней уже давно устарело. Кажется, здесь три комнаты. Из дальней как раз в коридор выгребается плешивый мужик с огромным животом, одетый в спортивный костюм на голое тело. Похоже, мужик и сейчас поддатый. Лина сказала, что мать у нее работает директором школы, а отец не работает, а крутит какие-то темные делишки со шмотками на таможне.

— Это еще кто?! — гремит папаша с ходу на весь коридор, вперив в меня два свинячьих глазика. — Ты где шляешься?!

Чувствую, как Лина сжимается в своем пальтишке. Хренов папик, не может одеть свою дочку, если занимается вещами. Судя по тому, как жирный боров пытается нагнать на нас жути, он уже вмазал изрядное количество водочки.

Оставив Лину, быстро подхожу к нему.

— А ну-ка, дешевка, ступай за мной! — тихо приказываю и прохожу в комнату, откуда этот ублюдок и вылез.

— Ты что?! — пытается он возмутиться.

— Подожди там, Лина, — прошу девушку через голову ее папаши. — У нас тут мужской разговор.

Папик заходит за мной, закрыв за собой двери комнаты. Смотрю ему прямо в глаза и коротко, без замаха луплю в живот. Мужик, хрипя, валится на колени передо мной. Присев и взявшись рукой за затылок мужика, резко припечатываю его мордой о край стола. Удар приходится как раз по переносице. Поперла кровища. Завалить бы его, да нельзя. Отгоняю от себя назойливую мысль. Этот папик — не та проблема, чтобы здесь разводить мокротень...

Мужик стонет, держась за разбитое лицо.

— Если еще раз, сука ты конченая, услышу жалобы от Лины, ты — покойник. Ты меня хорошо понял, барыга? — строго говорю я.

Мужик кивает:

— Я все понял!

— Я тебя предупредил, фраер, а ты меня слышал. Еще один косяк с твоей стороны, ни один айболит не заштопает. Так что живи пока, барыга, и радуйся, что разрешили, — хлопаю его по жирной спине и выхожу из комнаты.

Лина стоит в коридоре ни жива ни мертва. Улыбаюсь ей как можно мягче.

— Все нормально, милая, мы обо всем поговорили. А теперь пойдем, подыщем тебе более приемлемую одежду.

Девушка спросила, что там у нас произошло, но я предпочел отмолчаться.

Через полтора часа Лина выглядит уже как королева. Шубу я покупал почти на последние монеты, заплатив за нее двенадцать штук баксов. Были шубки и гораздо дороже, но столько денег в карманах не помещается. Я ведь все-таки не ходячий резервный банк.

Заезжаем ко мне, и я снова затариваюсь деньгами. Придется продолжить наш шоп-тур, так как еще не сделаны последние мазки. Снова полтора часа тратим на покупки, а после едем в казино. Здесь мы можем и поужинать, и неплохо провести вечер.

В заключение Лина ночует у меня, предварительно позвонив своей маме и сообщив, что выходит замуж.

Глава тридцать третья

Девчонку я нашел себе в Москве классную, но телки телками, а дело надо делать. Из Питера нам все доставили. Теперь я уже не безлошадный, как, впрочем, и Серега. Наша цель сейчас — Лысый. Пора его все-таки делать.

У Лысого теперь полно охраны, к нему и на сотню метров не подступиться без «бэтээра». Место, которое мы выбрали, кажется нам самым подходящим. Здесь находится престижный элитный клуб, в который ездят только политики, артисты и бандиты. Так просто сюда не подступишься. Охраняемая стоянка находится на закрытой территории клуба. Прямого доступа у нас туда нет, тем более что клуб, как и его посетители, охраняется более чем достаточно. Но именно потому я и выбрал это место. Устроить поблизости снайперскую засаду не получится, не тот рай ончик и не то место. Но ход есть, и он очень даже не плох. Нужно только подсечь момент, когда Лысый здесь появится. Во всех остальных случаях нам его в ближайший месяц перехватить не удастся. Лысый теперь шифруется, словно матёрый шпион, да и службу охраны он себе поставил на уровне. Видимо, его личную безопасность теперь гарантируют какие-нибудь бывшие комитетчики или что-то в этом роде. Сейчас модно у новой крутизны от криминала нанимать на работу в свою службу безопасности бывших офицеров КГБ. Что там говорить, и в моей бригаде есть парочка таких мутных типов из хитрой конторы.

Заезжаю в ворота клуба. Здесь меня тормозят с ходу.

— У вас есть клубная карта? — интересуется здоровенный детина, наклоняясь к окну моей машины.

По рылу этого охранника и прочим его манерам отмечаю, что парень скорее всего служил в спецназе.

— Нет. Я сегодня первый раз, — приветливо киваю ему.

— Тогда вам нужно обязательно переговорить с менеджером. Проедете до паркинга, а там вас встретят.

Еду, куда мне указали. Действительно, меня встречают. Выходит тип в клубном пиджаке, а чуть позади торчат четыре охранника. Показуха, твою мать!

Выхожу из своего «шестисотого» «мерседе-са». Менеджер тут же подваливает ко мне.

— Добрый вечер! — говорит он. — У нас вообще-то членами клуба становятся только по рекомендации.

— Я сам не живу в Москве, хотя часто езжу сюда по делам. Я слышал о вашем клубе и подумал, что это именно то, что мне нужно. Очень у вас удачное место, можно спокойно отдохнуть в хорошей компании.

— Если вы готовы заплатить вступительный взнос, то сможете пройти и получить клубную карту.

— Нет проблем, — киваю ему. — Сколько это стоит?

— Три с половиной тысячи долларов, — улыбается менеджер такому пустяку.

Вытаскиваю толстенную пачку долларов.

— Будут ли какие-то дополнительные расходы? — интересуюсь простодушно.

— Нет! Нет! У нас все деньги в кассу! Пройдемте, пожалуйста, со мной, — любезно предлагает он.

Заходим в клуб. Выкупаю нужную мне клубную карту за хренову кучу баксов, а затем меня водят по зданию, как на экскурсии, объясняя правила и показывая, что где находится. Клуб действительно роскошен. Здесь я болтаюсь час и даже играю на рулетке. Наконец появляется и Лысый со своей охраной. Побыв еще минут двадцать, уезжаю. Серега меня заждался.

— Давай, начинай! — говорю приятелю, пересаживаясь к нему в «мерс».

Сергей берет трубку сотового телефона. Этот телефон зарегистрирован черт знает где и на кого. Но точно знаю, что проходит он по Швеции. Звонок идет через роуминг.

Серега быстро объясняет дежурному в Региональном Управлении по борьбе с организованной преступностью, что некий уголовный авторитет по кличке Лысый находится сейчас в таком-то клубе, а так как клуб элитный и построен на деньги братвы, то там, за его дверьми, будет проходить сделка с наркотиками.

— Надеюсь, они отработают наше сообщение, — говорит приятель, убирая телефон.

Я на это тоже надеюсь. На этом мы и строим наш план. РУБОП организовали не так давно, и по идее они должны отрабатывать даже анонимные звонки. Ждем. Скоро наши ожидания оправдываются. К клубу подваливает целая куча пятнистых борцов за справедливость, увешанных с ног до головы всевозможными смертоносными железяками. Убеждаюсь, что Лысого взяли. Значит, можно перебираться в другое место. У Лысого есть одно больное местечко — это его адвокат. Именно на такой вариант у нас и идет отработка плана.

Я думал, что Лысого освободят быстро, так как его повязали все-таки по ложной наводке. Но тем не менее авторитета промариновали больше суток.

С адвокатом мы договорились быстро. Не обошлось, конечно, без некоторых методов внушения, но на лице юриста ничего не отразилось. Окончательно адвокат сломался, когда получил авансом двести тысяч долларов и я разъяснил этому барану, что с Лысым, можно считать, покончено и скоро о нем и его команде не останется даже воспоминаний.

Адвокат отзвонился мне днем.

— Выходит через полчаса, — сказал он и отсоединился.

Тут же выезжаем на заранее присмотренную позицию. Отсюда удобно и наблюдать, и воспользоваться снайперской винтовкой. Именно так все и происходит.

Когда Лысый в окружении своей свиты выходит за ворота ментовки и задерживается возле машины, чтобы вмазать стаканчик водочки за свободу, я с двухсот метров всаживаю ему три пули в грудь и в голову. Затем весь остаток

магазина СВД трачу на его клиентов и адвока-
та. Адвокат — свидетель, и он нас видел. А вот
это уже в такой игре никому не разрешено.
Никаких свидетелей быть не должно. Их и не
будет...

Как я понимаю, после всех событий, про-
изошедших за последнюю пару месяцев, нам
стоит отыграться. Так почему бы и не задер-
жаться в столице? Не вижу причин не делать
этого, к тому же: у меня тут классная телка!

Владимир Угрюмов

РОЖДЕННЫЕ ПЕРЕСТРОЙКОЙ

СУДЬБА БРИГАДИРА

Роман-боевик

Ответственные за выпуск
Л. Б. Лаврова, Я. Ю. Матвеева
Верстка
А. Н. Соколова

Лицензия ЛР № 064020 от 14.04.95
Лицензия ЛР № 070099 от 03.09.96

Подписано в печать 20.02.2000.
Формат 84 × 108¹/₃₂. Печать офсетная.
Бумага газетная. Гарнитура «Кудряшевская». Уч.-изд. л. 10,67.
Усл. печ. л. 20,16. Тираж 25 000 экз. Заказ № 887.

ЗАО «Издательский Цех „Балтика"»
198261, Санкт-Петербург, ул. Стойкости, д. 31
При участии издательства «ОЛМА-ПРЕСС»
129075, Москва, Звездный бульвар, д. 23

Отпечатано с готовых диапозитивов
в полиграфической фирме «КРАСНЫЙ ПРОЛЕТАРИЙ»
103473, Москва, Краснопролетарская, 16

**Издательство «Олма-Пресс»
и
«Издательский Цех „Балтика"»
представляют
в серии «Приказано выжить»
сериал Владимира Угрюмова
«Рожденные перестройкой»**

В сериале вышла в свет первая книга «Рожденные перестройкой», где читатель знакомится с главным героем, Антонычем, и узнает о его похождениях по городам и весям России.

Продолжение следует...

**Издательство «Олма-Пресс»
и
«Издательский Цех „Балтика"»
представляют
книгу Владимира Угрюмова
«Боец»
(«Частный детектив по-русски»)**

Бывший сотрудник спецназа Внешней разведки, уволившись со службы, открывает в Санкт-Петербурге детективное агентство. Но реалии нынешней жизни в России таковы, что не позволяют профессионалу террора и диверсий расслабиться и забыть на «гражданке» то, чему его эффективно и долгие годы обучали «академики» «острых» акций.

Скоро:
В. Угрюмов. «Боец-2»
и
В. Угрюмов. «Охотник за головами»
(«Боец-3»).